Brigitte Diät

Helga Haseltine leitete viele Jahre das BRIGITTE-Ressort
„Kosmetik, Fitneß, Diät und Ernährung".

Marlies Klosterfelde-Wentzel erarbeitet seit 20 Jahren
die Rezepte für die BRIGITTE-Diät. Außerdem macht
sie Rezept- und Fotoproduktionen für Zeitschriften wie
„Stern" und „Schöner Wohnen".

Fotos: Ortwin Möller (84); Olaf Krönke (4);
Lars Matzen (3); Wolfgang Schardt (23); Jérome Tisné (2)
Styling der Rezeptfotos: Regine Alberts

Gestaltung: Redaktion 4 GmbH, Hamburg
Gesamtherstellung: Naumann & Göbel
Verlagsgesellschaft mbH, Köln

Herausgeberin: Anne Volk
Lektorat: Marita Heinz

BRIGITTE Edition in der
Naumann & Göbel Verlagsgesellschaft mbH, Köln
Copyright Gruner + Jahr AG & Co., Hamburg
ISBN: 3-625-10215-3

Brigitte Diät

Von
Marlies Klosterfelde-Wentzel
und Helga Haseltine

Brigitte Edition

NAUMANN & GÖBEL

Inhalt

KAPITEL 1

Kommen wir gleich zur Sache:
Alles über die BRIGITTE-Diät
und wie sie zum Erfolg führt 7

Noch Fragen ...
Wann kann Diät zur Qual werden? . . 11
Führt Diät zur Magersucht? 11

KAPITEL 2

Wie erfolgreich kann Diät sein? 12
Realistisch rangehen 12
Sind die Gene schuld? 13
Wie ist das mit der Traumfigur? 14
Fallstricke vermeiden 14

KAPITEL 3

Was macht eine gute Diät aus? 16
Stichwort Nährstoffe 16
Stichwort Fett 16
Stichwort Eiweiß 17
Stichwort Kohlenhydrate 17
Verdauung 17

Noch Fragen ...
Was ist los, wenn Sie während der Diät
Kopfschmerzen haben? 17

KAPITEL 4

Erfolgsgeheimnis: Diät plus Sport 18
Unser Laufprogramm für Anfängerinnen
und eingerostete Ex-Sportlerinnen 19
Stretching – ganz wichtig! 20

KAPITEL 5

Hunger auf Süßes kann bitter sein 22

Noch Fragen ...
Können Fettpolster ihr Gutes haben? . . . 23
Helfen „Light"-Produkte
beim Abnehmen? 23
Was sind leere Kalorien? 23

KAPITEL 6

Die Diät war erfolgreich – und nun 24

DIE BRIGITTE-DIÄT
4-Wochen-Programm:
28 Tagespläne mit je 1000 Kalorien,
fünf Mahlzeiten und einer Zutatenliste
für jeden Tag 26
1. Woche 28
2. Woche 38
Das brauchen Sie für
die erste und zweite Diät-Woche:
Vorratsliste: Das sollten Sie
im Hause haben 48
Einkaufsliste für die frischen Zutaten 48

3. Woche 50
4. Woche 60
Das brauchen Sie für die dritte
und vierte Diät-Woche:
Vorratsliste: Das sollten Sie
im Hause haben 68
Einkaufsliste für die frischen Zutaten 68

Das BRIGITTE-Müsli 47

KOCHEN
WIE AM MITTELMEER

2-Wochen-Programm:

*14 Tagespläne mit 1000 bis 1500
Kalorien, fünf Mahlzeiten und
einer Zutatenliste für jeden Tag* 70

1. Woche 72

2. Woche 82

Das brauchen Sie für die beiden
Diät-Wochen wie am Mittelmeer 92

Vorratsliste: Das sollten Sie
im Hause haben 92

Einkaufsliste für die frischen Zutaten 92

DIÄT-REZEPTE
ZUM AUSSUCHEN

*130 BRIGITTE-Rezepte zur Auswahl:
Kochen Sie, was Ihnen besonders gut
schmeckt, halten Sie so Ihr Gewicht* 94

Fleischgerichte 96

Fischgerichte 100

Kartoffelgerichte 102

Gerichte mit Topinambur 108

Nudelgerichte 110

Reisgerichte 116

Hirsegerichte 118

Buchweizengerichte 119

Gerstengerichte 122

Gerichte mit Quinoa 124

Grünkern-Gerichte 126

Gerichte mit weißen Bohnen 128

Linsengerichte 130

Tofu-Gerichte 132

Zwischenmahlzeiten mit 100 Kalorien 134

Suppen 138

Salate 140

Belegte Brote 142

Süße Gerichte 146

Stichwortregister 158

Rezeptverzeichnis 159

Kommen wir gleich zur Sache

DIE BRIGITTE-DIÄT ist zu Recht eine der bekanntesten und beliebtesten Diäten. Seit Jahren bewährt, wird sie dennoch ständig den neuesten Erkenntnissen der Ernährungswissenschaft angepaßt. So ergibt sich eine Diät, die Sie wirklich längerfristig machen können und die auch ein Schlüssel ist – zum Einstieg in neue, gesündere Eßgewohnheiten.

Die Gebrauchsanweisung, also wie die Diät gemacht wird, stellen wir ohne Umschweife an den Anfang dieses Buches. Das heißt aber nicht, daß wir Ihnen die wichtigen Informationen über das Warum und Wieso, über Diät und Stoffwechsel, Risiko und Jo-Jo-Effekt, Fettzellen und Cellulite vorenthalten wollen. Die finden Sie ab Seite 12. Einiges davon haben Sie sicher schon gehört. Trotzdem bitten wir Sie, diese Seiten in Muße durchzulesen. Um Vorurteile auszuräumen und um Diätfrust zu vermeiden.

DIE BRIGITTE-DIÄT fängt auf Seite 26 an, mit Tagesplänen für vier Wochen. Hier finden Sie Tag für Tag Diätrezepte für Frühstück, warme Mahlzeit, Imbiß und zwei Zwischenmahlzeiten. Außerdem bieten wir den Fans der italienischen Küche eine BRIGITTE-Diät (14 Tagespläne) mit Rezepten vom Mittelmeer (ab Seite 70). Insgesamt sind das sechs Wochen Diätprogramm, das Sie nach Belieben verlängern oder verkürzen können.

JEDER TAGESPLAN bietet fünf Mahlzeiten und hat insgesamt 1000 Kalorien. Wir haben die Angaben für Kalorien beibehalten, weil sie einen Rahmen abstecken und weil die Angaben auf vielen Lebensmitteln noch in Kalorien stehen. Obwohl: Nach neuen Erkenntnissen ist das Kalorienzählen nicht mehr wichtig. Entscheidend ist, die tägliche Aufnahme von Fett zu reduzieren (siehe auch Seite 9 und 16). Das tut die Diät sowieso.

Die Rezepte für einen Diättag enthalten außer den wichtigen Mineralstoffen, Vitaminen und Spurenelementen etwa 130 Gramm Kohlenhydrate, 50 Gramm Eiweiß und bis zu 30 Gramm Fett. Das ist eine ideale Tageszusammensetzung.

JEDER DIÄTTAG (ab Seite 26) enthält ein Frühstück (200 Kalorien), eine warme Mahlzeit (400 Kalorien), die mittags oder abends gegessen werden kann, einen Imbiß (200 Kalorien) und zwei Zwischenmahlzeiten zu jeweils 100 Kalorien. Alle Rezepte sind für eine Person berechnet. Wenn Sie für die Familie mitkochen oder Gäste haben, können Sie die warme Mahlzeit leicht aufstocken.

HILFE DURCH LISTEN, von denen es insgesamt drei gibt: 1. eine Einkaufsliste für jeweils 14 Diättage. Aus ihr können Sie genau ersehen, welche frischen Zutaten Sie wann brauchen. 2. Die Vorratsliste zeigt alle Lebensmittel an (z. B. Mehl oder Gemüsebrühe), die Sie im Haus haben sollten, weil Sie sie immer wieder brauchen. 3. Die Zutatenliste bei jedem Tag der Diätprogramme zeigt Ihnen auf einen Blick, was pro Tag benötigt wird. Das ist praktisch, falls Sie später die Diättage umstellen oder austauschen möchten.

DER ERSTE DIÄTTAG ist in unserer Planung ein Sonntag. Am Samstag können Sie dann gemütlich alle Zutaten einkaufen.

KOSTEN: Wir haben berechnet, daß die frischen Zutaten pro Diättag zwischen 9,00 und 11,00 Mark kosten. Wobei es natürlich auf Ihre Einkaufsquelle ankommt. Wenn Sie sich an die Einkaufslisten halten, bleiben keine Reste zum Wegwerfen. Scheuen Sie sich nicht, beim Schlachter und bei der Gemüsefrau kleinere Mengen zu verlangen. Inzwischen sind viele Verkäufer/innen absolut diätfreundlich eingestellt.

DAS BRIGITTE-MÜSLI haben wir entwickelt, weil es besonders ballaststoffreich ist. (Ballaststoffe sind pflanzliche Faserstoffe, die im Darm

Wasser binden und aufquellen. Das hilft der Verdauung. Das Müsli ist bei den ersten vier Diätwochen fest eingeplant. Es läßt sich mit Süßem kombinieren und schmeckt super. Für jeweils zwei Diätwochen wird es im voraus gemischt. Rezept auf Seite 47.

BERUFSTÄTIGE können den kalten Imbiß vorbereiten und mitnehmen und dann abends die warme Mahlzeit kochen. Bei richtiger Planung dauert deren Zubereitung nicht länger als 20 Minuten. Oft auch weniger, weil unsere Tips zum Vorkochen Arbeitszeit ersparen.

DIÄTREZEPTE ZUM AUSSUCHEN: Im zweiten Teil des Buches, ab Seite 94, bieten wir Ihnen zusätzlich zu den Diätprogrammen eine reiche Auswahl an Rezepten, mit denen Sie sich Ihre ganz persönliche Diät selbst zusammenstellen können. Im Register (ab Seite 158) steht, welche Gerichte wo zu suchen sind. Auch die kleinen Zwischenmahlzeiten haben wir nicht vergessen. Ab Seite 134 finden Sie alles, was sich zwischendurch essen läßt.

GERICHTE AUSTAUSCHEN: Es ist o. k., wenn Sie in den Tagesplänen hin und wieder Gerichte austauschen. Die Diät soll Ihnen ja schmecken. Nur – wenn Sie ständig einseitig auswählen, könnten Ihnen auf lange Sicht Mineralstoffe oder Vitamine fehlen. Könnten! Das passiert nicht, wenn Sie abwechslungsreich, also von jedem etwas, essen. Für Diät-Anfängerinnen ist es nach unserer Erfahrung leichter, sich zunächst an die vorgegebenen Programme zu halten.

VEGETARISCH: In den 42 Tagesplänen der BRIGITTE-Diät bieten wir viele fleischlose Gerichte. Und außerdem geben wir bei den ersten 28 Tagesplänen Tips, wie Sie Fleischgerichte zu vegetarischen umfunktionieren können, indem Sie zum Beispiel das Fleisch durch Kräuterquark, Joghurtsoßen, Tofu oder Käse ersetzen. Bei den Rezepten zum Aussuchen gibt es noch mal eine Menge Vegetarisches. Das werden Sie sicher in Zeiten von BSE (siehe auch Seite 11) und Nachrichten über Massentierhaltung zu schätzen wissen. Zum schnellen Auffinden schauen Sie ins Register: Die vegetarischen Gerichte sind extra gekennzeichnet.

GETRÄNKE: Auf Kaffee oder Tee müssen Sie nicht verzichten. Beides aber ohne Zucker und nur mit wenig Kaffeesahne trinken. Mineralwasser ist geradezu ein Diät-Renner. Während des Abnehmens brauchen Sie täglich gut zwei Liter davon. Grund: Da die Nahrungsmenge reduziert wurde, fehlt dem Körperhaushalt Wasser, das ersetzt werden muß. Vorsicht bei „Light"-Getränken, sie haben allzuoft versteckte Kalorien.

KOCHEN UND BRATEN: Sind Ihre Töpfe diätfreundlich? Wichtig ist, daß die Böden glatt und nicht zerkratzt sind. Nur dann kann mit wenig oder sogar ohne Fett gegart werden. Am besten kommt man mit zwei Pfannen zurecht: einer Edelstahl- oder gut eingebrannten Eisenpfanne und einer beschichteten Pfanne von guter Qualität. Eisenpfannen sofort nach Gebrauch mit klarem Wasser (ohne Spülmittel!) säubern. Kaufen Sie die Pfannen am besten gleich mit Deckel.

TÖPFE: Für Single-Portionen sollten sich die Zutaten nicht im Topf verlieren. Für Gemüse, Reis oder andere Körnerbeilagen genügt daher ein Töpfchen von etwa einem Liter Inhalt. Ein zweiter Topf muß groß genug sein, um Nudeln zu kochen oder Gerichte mit mehreren Zutaten zu garen (etwa 3 Liter Inhalt). Alle Töpfe sollten gut schließende Deckel haben, damit die Feuchtigkeit während des Kochens nicht entweicht. Außerdem nützlich: ein großes und ein kleines Schneidebrett, ein Sparschäler, ein Spezialmesser für Zitrusschalen (anstelle einer Reibe), ein Dampfsieb. Um Teller vorzuwärmen, damit Speisen nicht so schnell abkühlen: den Teller ein paar Minuten lang als Topfdeckel benutzen.

FETT: Mit den richtigen Töpfen und Pfannen ausgerüstet, können Sie sogar beim Braten auf Fett verzichten. Heizen Sie Topf oder Pfanne vor, geben Sie beispielsweise Gemüse hinein, dünsten Sie es unter ständigem Rühren, bis ein angenehmer Duft aufsteigt. Nun etwas Flüssigkeit hineingießen (Brühe oder Wasser) und mit fest verschlossenem Deckel auf mittlerer Wärmestufe garen. Erst direkt vor dem Essen wird etwas Fett zugefügt – als Geschmacksträger. So wurde in den Rezepten auch Crème fraîche verwendet.

Bei dieser Methode bleiben Geschmack und Nährstoffe erhalten, besonders bei kaltgepreßten Ölen. Je höher der Anteil der mehrfach ungesättigten Fettsäuren in einem Öl, desto weniger eignet es sich zum Erhitzen und sollte daher erst nach dem Garen zugefügt werden (siehe auch Seite 16). Das gilt für Kürbiskern-, Sonnenblumen-, Distel-, Sesam- und Sojaöle.

Öle mit hohem Anteil an gesättigten Fettsäuren eignen sich besser zum Erhitzen, zum Beispiel Palm- und auch Kokosfett. Hochwertiges Olivenöl beispielsweise nimmt man allerdings weniger zum Braten oder Kochen, weil es zu teuer ist. Kaufen Sie gutes Öl in kleinen Mengen. Dosieren Sie es mit einem Teelöffel oder verteilen Sie es mit einem Pinsel in Topf oder Pfanne. Jede Ölsorte gibt dem Gericht eine bestimmte Geschmacksrichtung – wie ein Gewürz.

WÜRZEN: Vermeiden Sie Salz soweit wie möglich, es hält Wasser im Gewebe zurück. Wir haben unsere Diät mit einer Vielzahl von Kräutern gewürzt. Dafür lohnen sich kleine Töpfe mit Schnittlauch, Petersilie oder Basilikum auf der Fensterbank.

LEBENSMITTEL AUFBEWAHREN: Gemüse enthält viel Feuchtigkeit, die leicht verdunstet. Darum am besten in Küchenfolie verpacken und im Gemüsefach lagern. Wenn Sie einige Lebensmittel nur in größeren Mengen kaufen können, dann teilen Sie sie gleich in Portionen auf und lagern sie entsprechend verpackt im Tiefkühlfach.

Frische Kräuter verlieren wichtige Vitamine und Mineralien, wenn sie abgeschnitten im Wasserglas stehen. Deshalb am besten als Pflanze im Topf kaufen. Geht das nicht, dann das Kräuterbündel waschen, abtropfen lassen, in eine Plastiktüte legen, ein wenig Luft hineinpusten, verschließen und im Gemüsefach des Kühlschranks aufheben. Das gleiche gilt für Salat, der sich so im Kühlschrank mehrere Tage hält. Die Blätter nicht vorher zerkleinern.

WAAGE: Zum Abmessen der Zutaten brauchen Sie eine normale Küchenwaage. Und wenn es mal ein paar Gramm mehr werden – keine Panik, das gleicht sich schon wieder aus. Praktisch ist es auch, wenn Sie immer im gleichen Behälter abwiegen, zum Beispiel in einem Joghurtbecher.

MENGENANGABEN: Buchweizen, Gerstengraupen, Gerste, Grünkern, Hirse und Quinoa: 100 Gramm (oder 10 Eßlöffel) Rohgewicht ergeben in 200 Milliliter (ml) Flüssigkeit

gekocht 250–270 Gramm. Nudeln, Vollkornnudeln: 100 Gramm Rohgewicht ergeben meist 250 Gramm gekochte Nudeln. Einige Nudelsorten können viel Wasser aufnehmen und quellen dadurch stärker auf. Das hat kaum Einfluß auf die Kalorienwerte. Naturreis, Rundkornreis: 100 Gramm in 300 Milliliter Wasser gekocht ergeben 300 Gramm Reis (Reissorten und Reisqualitäten quellen unterschiedlich). 1 gestrichener Eßlöffel roher Reis = 10 g. 1 schwach gehäufter Eßlöffel roher Reis = 15 g.

Flüssigkeiten geben wir meist per Tasse an: 1 Tasse = 125 ml = ⅛ l. Finden Sie auf der Verpackung die Angabe in Milliliter (ml), dann rechnet sich das so:

1 l = 1000 ml (oder 1000 ccm oder 1000 g),
½ l = 500 ml,
¼ l = 250 ml,
⅛ l = 125 ml.

Bei Gemüse und Obst berechnen wir, wenn sie in Gramm angegeben sind, den eßbaren Anteil. Blattsalat berechnen wir pro Portion. Das ist so etwa ein halber Salatkopf, zwischen 50 und 100 Gramm.

Ans Zählen und Wiegen können Sie aber entspannt herangehen: Experten sind sich einig, daß beim Schlankerwerden der Fettanteil das Wichtigste ist. Da macht es nichts aus, wenn Sie mehr Brot oder Nudeln oder Salat essen – Hauptsache, Sie übersteigen die 30-Gramm-Marke Fett pro Tag nicht (siehe auch Seite 16).

ZUTATEN: Fast alle in den Rezepten verwendeten Gemüse sind das ganze Jahr über zu haben, wenn nicht frisch, dann als Tiefkühlkost. Mandarinen oder Pfirsiche können Sie durch Äpfel ersetzen. Bei Eiern sind wir immer von „Gewichtsklasse M" (medium) ausgegangen. Als Milchprodukte haben wir hauptsächlich Magermilchjoghurt im 150-Gramm-Becher verwendet oder fettarme Dickmilch im 500-Gramm-Becher. Crème fraîche hat dagegen 30 Prozent Fettgehalt.

Mit der Mengenangabe für Gemüsebrühe (Instant) ist immer die Flüssigkeit gemeint. Zitronen haben wir „unbehandelt" eingekauft, denn die abgeriebene Zitronenschale verwenden wir häufig. Kartoffeln kochen wir fast immer in der Schale. Wir erwähnen es bei den Rezepten nicht extra: Jedes frische Gemüse wird natürlich vor der Zubereitung gründlich gewaschen. Bitte lesen Sie die Rezepte für den nächsten Diättag immer am Tag vorher durch, damit Sie zum Beispiel das TK-Beerenobst rechtzeitig zum Auftauen bereitstellen. Sonst gibt's Frust.

SÜSSSTOFF: Unter dieser Bezeichnung gibt es verschiedene Produkte: Cyclamate, Saccharin, Saccharin-Cyclamat-Mischungen, Aspartame. Haben Süßstoffe Nebenwirkungen? Meldungen darüber beziehen sich meist auf Tierversuche, in denen Ratten hohe Dosen von Süßstoffen verabreicht wurden. In Deutschland sind diese Süßstoffe vom Bundesgesundheitsamt zugelassen. Die Empfehlung einer täglichen Höchstmenge, die wir bei unserer Diät auch nicht annähernd erreichen(!), sieht so aus: bei Saccharin 5 Milligramm pro Kilogramm Körpergewicht, bei Cyclamat 11 Milligramm pro Kilogramm Körpergewicht. Bei den handelsüblichen Süßtabletten (Saccharin-Cyclamat-Mischung) bedeutet das: bei 60 kg Körpergewicht pro Tag höchstens 18 Tabletten, bei 70 kg Körpergewicht höchstens 21 Tabletten, bei 80 kg Körpergewicht höchstens 24 Tabletten.

Bei dem Süßstoff Aspartame (NutraSweet) handelt es sich um ein Produkt aus Eiweißbausteinen. Es ist etwa 200mal süßer als Zucker, aber längst nicht so stabil. Bei längerer Lagerung und bei Hitze zerfällt es. Die tägliche Höchstmenge sind 40 Milligramm pro Kilo Körpergewicht.

HUNGER: Mit fünf Mahlzeiten, die über den Tag verteilt sind, sollte Hunger gar nicht erst aufkommen. Wenn Sie trotzdem Magenknurren spüren, knabbern Sie zwischendurch Rohkost (Möhren, Sellerie, Kohlrabi) oder Obst (Äpfel). Auch ein Vollkornkeks ist völlig o. k. Ein weiterer Trick: Ein Glas Mineralwasser füllt den Magen schon mal ein bißchen. Und noch etwas: Essen Sie langsam! Bis der Magen „satt!" an das Gehirn funkt, vergehen bis zu 20 Minuten. Geben Sie ihm die Chance dazu.

GEWICHTSKONTROLLE: Natürlich wollen Sie wissen, ob die Diät „greift". Zumindest am Anfang sind für die meisten Frauen Erfolgserlebnisse wichtig. Dazu ist es am besten, sich immer zur gleichen Tageszeit zu wiegen, morgens vor dem Frühstück, nach Besuch des stillen Örtchens. Wer will, kann sich auch eine Tabelle malen.

EINLADUNGEN: Sie müssen während der Diät nicht zur Einsiedlerin werden. Beim Auswärtsessen können Sie vorher dem Hunger durch ein Glas Mineralwasser oder etwas Salat die Spitze abbiegen, danach einfach nur wenig von der Hauptmahlzeit nehmen (bei den feinen teuren Gerichten ist sowieso nicht viel auf dem Teller ...). Dazu am besten einen gespritzten Weißwein trinken und das Dessert durch Kaffee und einen Keks ersetzen.

KINDER UND JUGENDLICHE: Der Nährstoffgehalt der BRIGITTE-Diät ist völlig ausreichend für erwachsene Frauen (Männer: siehe Seite 15). Aber Jugendliche brauchen zum Aufbau des Knochengerüsts mehr Kalzium, sie kommen bei unseren Tagesplänen also zu kurz. Faustregel: Pro Diättag braucht ein Kind etwa 400 Milligramm Kalzium zusätzlich. Das entspricht etwa einem halben Liter Trinkmilch (Magerstufe). Sprechen Sie in jedem Fall mit Kinderarzt/-ärztin oder mit einer Ernährungsberaterin, wenn Sie finden, daß Ihr Kind Diät halten sollte.

SCHWANGERSCHAFT: Wenn Sie ein Baby erwarten oder ein Baby stillen, keine Diät! Ihr Kind würde gefährdet, denn die Nährstoffversorgung reicht für Sie beide nicht aus. Warten Sie mit der Diät, bis Sie abgestillt haben.

CHOLESTERIN: Die meisten unserer Gerichte sind cholesterinarm oder sogar cholesterinfrei. Wer gegen erhöhte Cholesterinwerte kämpft, sollte Crème fraîche durch kaltgepreßtes Öl ersetzen oder weitgehend auf Fett verzichten. Als Streichfett nur hochwertige Pflanzenmargarine verwenden, von Eiern nur das Eiweiß essen. Tierische Fette sind verboten, auch die in Wurst und Käse versteckten. Innereien wie Hähnchenleber sollten Sie ebenfalls meiden.

VITAMINTABLETTEN: Wenn Sie sich an das Diätprogramm halten, also nicht selbst ein einseitiges zusammenstellen, brauchen Sie im allgemeinen kein zusätzliches Vitaminpräparat. Vorausgesetzt, Sie sind gesund. Sollten Sie bereits zu Beginn der Diät an Vitaminmangel leiden, sieht das allerdings anders aus. Sprechen Sie unbedingt mit Ihrem Arzt darüber.

EISEN: Wenn Sie sich häufig schlapp fühlen und Ihnen die Lust abgeht, etwas Neues anzufangen, könnte Ihnen möglicherweise Eisen fehlen. Vom Eisenmangel sind Frauen öfter betroffen als Männer, schon allein wegen des monatlichen Blutverlusts durch die Regel. Dagegen hilft (nach ärztlicher Rücksprache) ein Multivitamin- und ein FE-II-Eisenpräparat. Auch wenn Sie während der Diät in länger anhaltende depressive Stimmungen fallen sollten: Gehen Sie zum Arzt und lassen Sie – unter anderem – ein Blutbild machen. Die Diät soll Ihnen schließlich helfen, sich besser zu fühlen. Wenn das nicht passiert, dann stimmt etwas nicht.

Noch Fragen?

Wann kann Diät zur Qual werden? Wenn beispielsweise junge Frauen der – irrigen – Ansicht sind, sie seien viel zu dick, und durch Hungern ihre Traumfigur erzwingen wollen! Der Körper empfindet das als Untergewicht und geht mit allen Mitteln dagegen an. Man hat ständig Hunger. Was nicht allgemein bekannt ist: Wer immerfort Diät macht, riskiert, unfruchtbar zu werden. Der Körper drosselt wegen des erzwungenen Hungerns seine Hormonausschüttung. Dann entstehen Fruchtbarkeitsstörungen, denn der weibliche Zyklus reagiert schon bei geringen Gewichtsabnahmen empfindlich. Das geht besonders die jungen Frauen an. Allerdings: Sobald der Körper sein normales Gewicht behalten oder wieder erreichen „darf", verschwindet die Fruchtbarkeitsstörung innerhalb weniger Wochen.

Führt Diät zur Magersucht? Inzwischen ist bekannt, daß Magersucht (Anorexia nervosa) und Eß-Brech-Sucht (Bulimia nervosa) schwere psychische Störungen sind, die besonders junge Mädchen und Frauen treffen. Der Grund dieser Erkrankungen liegt in allen Fällen in der Familiensituation. Die Betroffenen brauchen dringend Hilfe: eine – meist langwierige – Therapie. Dabei ist Diät niemals der Grund für Anorexie oder Bulimie, aber sie wird häufig als Einstieg in die Magersucht benutzt. Für weitere Informationen wenden Sie sich an den BRIGITTE-Leserdienst, Brieffach 23, 20444 Hamburg.

Wie können Sie sich vor BSE schützen? Kaufen Sie nur Fleisch, dessen Herkunft eindeutig feststeht. Deutsche Rinder sind BSE-frei. Aber auch nur so lange, wie Bauern oder Mäster keine Tiere aus dem Ausland hinzukaufen und kein Tiermehl verfüttern (das garantieren zum Beispiel Biohöfe). Fragen Sie daher Ihren Schlachter nach seinen Lieferanten und verlangen Sie Fleisch aus der Region. Im Zusammenhang mit BSE wird auch häufig vor Gelatine und Milchprodukten gewarnt. Bei der Herstellung von Gelatine setzt man zwar aufwendige Reinigungsmethoden ein, dennoch bleibt Mißtrauen angesagt. Hingegen ist das Risiko einer BSE-Übertragung auf den Menschen durch Milch oder Milchprodukte „mit an Sicherheit grenzender Wahrscheinlichkeit auszuschließen" (Bundesanstalt für Milchforschung, Kiel). Da es über den Erreger von BSE bisher lediglich Vermutungen gibt, werden in Zukunft sicher neue Erkenntnisse gewonnen. Bleiben Sie wachsam.

Wie erfolgreich kann Diät sein?

Auf Wunderdiäten fallen Sie sicher schon längst nicht mehr herein. Wer sich mit dem Thema ein wenig beschäftigt, sich über die Zusammenhänge zwischen Gewicht, Stoffwechsel und Kalorienverbrennung informiert hat, weiß: Es gibt keine leichten Lösungen, kein Patentrezept, keine „schnelle Schlankheit". Und doch: Wer möchte nicht auf ein Mini-Mirakel hoffen, auf eine Neuentdeckung – ein Super-Enzym vielleicht, das bisher niemand bemerkt hat und das die ganze Diäterei überflüssig macht?

Mit diesem Wunsch vieler machen einige das große Geschäft. Zur Zeit wird in Amerika wieder einmal eine Pille diskutiert, die Schlankheit und Wohlgefühl bringen soll (aber nebenbei auch Durchfall, ausgetrocknete Schleimhäute und schlaflose Nächte). In Deutschland glaubten vor einiger Zeit etliche Frauen fest an die Wunderpillen eines belgischen Arztes – für zwei von ihnen wurde das zum tödlichen Irrtum. Warum ist es eigentlich für die chemische Industrie so schwer, ein Schlankheitsmittel ohne Nebenwirkungen zu entwickeln? Eine Antwort darauf dürfte sein: Jede Wunderpille, jedes Diätwunder hätte immer einen mächtigen Gegner: die Natur. Das ist nur logisch. Unser Körper ist fürs Überleben ausgerüstet – eine Mitgift der Evolution. Er reagiert entsprechend anpassungsfähig auf Ausnahmesituationen wie Streß, Kälte und eben Hunger. Wenn ihm nur wenig Nahrung angeboten wird, setzen Mechanismen ein, um aus der Mangelware das Letzte herauszuholen: Der Körper verbraucht weniger Kalorien, der Stoffwechsel verlangsamt sich. Diese Reaktion zur Verteidigung des Körperfetts tritt in jedem Falle ein – bei jeder Diät.

Das erklärt, warum man irgendwann nur noch sehr langsam oder gar nicht mehr abnimmt. Der Körper hat sich mit weniger Kalorien abgefunden. Nun heißt die Lösung aber keineswegs, noch weniger essen, um so den Körper zum Einlenken zu zwingen, obwohl das immer wieder versucht wird.

Denn das dicke Ende kommt zum Schluß – und das ist wörtlich zu nehmen! Sobald man nämlich wieder einigermaßen normal ißt, nimmt der Körper das als Nahrungsüberfluß wahr. Und speichert, speichert, speichert. Denn er hat ja inzwischen geübt, mit viel weniger auszukommen.

So ist der Diätfrust, den viele erleben, ganz einfach zu erklären. Eine Diät nach der anderen, womöglich immer strenger und reduzierter, kann nur zu einem Zickzack in der Gewichtskurve führen, mit der schlimmen Aussicht, daß man schließlich immer weniger und langsamer abnimmt, aber immer schneller und mehr zulegt.

Für das Thema Wunderpille bedeutet das: Schon möglich, daß irgendwann mal jemand eine Pille erfindet, die das Fett aus dem Körper schleust. Aber was kommt danach? Wie wollen Sie dann wieder essen, ohne zuzunehmen? Wie soll es zu einer Balance zwischen Nahrungsaufnahme und Körpergewicht kommen, wenn so radikal in die Stoffwechselvorgänge eingegriffen wurde? Leidgeprüfte wissen: Abnehmen ist selten das größte Problem. Das Gewicht halten – das ist's!

Realistisch rangehen. Die „Traumfigur" verfolgt wohl jede von uns. Und selbst die, die sie zu haben scheinen, sind oft nicht zufrieden, wollen unten schlanker, oben fülliger sein. Eine

Umfrage unter Fotomodellen hat gezeigt, daß diese viel beneideten Schönheiten an sich und ihrem Körper genausoviel auszusetzen haben wie wir „Normalfrauen". Ist das nun tröstlich oder nicht?

Was ist wirklich „zu dick"? Zunächst einmal, die Anatomie des weiblichen Körpers ist von der Natur sehr sinnvoll ausgerüstet: Hüften, Po und Oberschenkel haben Fettpölsterchen, um für eine Schwangerschaft vorbereitet zu sein. Daß hier Fettzellen sitzen, ist absolut normal! Was letztlich darüber entscheidet, ob jemand wirklich zu dick ist, ist der – wie die Wissenschaftler sagen – Anteil der stoffwechselaktiven Körpermasse. Das ist alles, was nicht Fett ist: die „magere" Körpermasse also (englisch: lean body mass), die zum großen Teil aus Muskeln besteht. Da Muskeln ebenfalls Gewicht haben, sind Gewichtstabellen ziemlich unsinnig. Denn niemand würde beispielsweise einen muskulösen Sportler allein auf Grund seines Gewichts als zu dick bezeichnen. Was zählt, ist der Fettanteil des Körpers. Schlanke junge Frauen können einen Fettanteil von 22 bis 24 Prozent haben, bei Männern dagegen ist er von Natur aus niedriger: 12 bis 15 Prozent. Das ist so wichtig, daß wir es wiederholen: Wenn Ihr Körper zu etwa einem Viertel aus Fettzellen besteht, gehören Sie immer noch zu den Schlanken! Allerdings: Je mehr Fettzellen die Muskeln verdrängen, desto eher rutscht man in die Kategorie Übergewicht. Und das wirkt sich auch auf den Kalorienbedarf aus, denn nun kommt der Knackpunkt. Wie viele Kalorien ein Körper zu seiner Ernährung braucht, ohne zuzunehmen, richtet sich nach dem Anteil der „mageren" Körpermasse. Fett, das als Speicher und Puffer fungiert, braucht kaum Kalorien zu seiner Erhaltung. Oder andersherum: Je mehr Fettpölsterchen man im Verhältnis zu den Muskeln hat, desto weniger Kalorien braucht man täglich. Deshalb können junge Männer essen wie die Scheunendrescher, ohne dick zu werden. Und deshalb ist bei Frauen über 50 spätestens dann ein Umdenken in der Ernährung angesagt, wenn sie von Jahr zu Jahr zunehmen. Denn ältere Frauen kommen – den Stoffwechsel-Experten zufolge – mit erstaunlich wenigen Kalorien aus, in manchen Fällen mit rund 1000 täglich. Aber auch hier heißt es: nicht übertreiben, denn ein paar Rundungen haben in den späteren Lebensjahren durchaus ihr Gutes (siehe Seite 23).

Sind die Gene schuld? Die Erbmasse bestimmt unseren Körperbau. Ob Sie von der Natur stämmige Beine, gerundete Hüften, wenig Busen mitbekommen haben oder wenig Po, viel Busen, dicke Waden – das ist Ihr Bauplan, und den kann man in seiner Grundausführung nicht neu entwerfen. Die Figur durch Diät nach Belieben verändern, gezielt dort abnehmen, wo's am meisten stört – das ist schier unmöglich. Obwohl vor einigen Jahren in Presse und Diätbüchern noch solche Tendenzen auszumachen waren. Da schien es nur ein Rechenexempel zu sein nach dem Motto: Wer soundso groß ist, darf soundso viel wiegen, der Rest ist abzunehmen.

Von dieser Ansicht hat man sich mittlerweile weit entfernt. Es gibt inzwischen mehr Informationen darüber, wie der Stoffwechsel arbeitet, welche Aufgabe die Fettzellen haben und wie die Gene bei dem Ganzen mitspielen. Die These von den guten und den schlechten Futterverwertern wurde vor einigen Jahren totgesagt – heute weiß man, daß sie stimmt. Stellen Sie sich zwei Menschen vor, die gleich groß, gleich alt und gleich schwer sind. Mit einem Unterschied: Bei einem ist der Fettanteil in der Körpermasse höher, beim anderen der Muskelanteil. Wenn beide dieselbe Menge essen, wer nimmt zu? Richtig, der mit dem höheren Fettanteil, denn der braucht ja grundsätzlich weniger Kalorien – der Rest kommt sozusagen aufs Sparkonto.

Vom Begriff Idealgewicht haben sich die Wissenschaftler inzwischen ebenfalls verabschiedet. Tun Sie es auch! Wonach man sich richten kann, grob über den Daumen gepeilt, ist das sogenannte „Normalgewicht". Das errechnet sich so: Körpergröße in Zentimetern minus hundert. Mit diesem Normalgewicht läßt sich im allgemeinen gut leben. Nur bei sehr kleinen und sehr großen Menschen stimmt die Rechnung nicht mehr ganz. Um das aufzufangen, gibt es eine Formel, die etwas komplizierter zu errechnen ist, dafür aber auch die Größe berücksichtigt. Das ist der sogenannte BMI, Abkürzung für das englische „Body Mass Index". Für den BMI wird das eigene Körpergewicht (in Kilo) durch die Körpergröße im Quadrat geteilt. Zum Beispiel: 70 Kilo : 2,89 qm (1,70 m x 1,70 m). Der BMI ist danach 24,2. Als Faustregel gilt: BMI zwischen 18 und 25 = normalgewichtig, BMI zwischen 25 und 30 = leichtes Übergewicht, BMI über 30 = Übergewicht, das die Gesundheit gefährdet, BMI unter 18 = Untergewicht, das ebenfalls gefährlich ist.

Wie ist das mit der Traumfigur? Nun geht es bei Frauen, die Diät machen, in den meisten Fällen nicht um die Gesundheit, sondern um die Kleidergröße. Wie wir aus der Statistik wissen, möchten viele Frauen eine 38erin sein. Daß das unmöglich ist, muß man nicht an Tabellen vorführen. Wichtig ist, den Balance-Akt zwischen Idealvorstellung (dem inneren Bild) und der Wirklichkeit (dem Spiegelbild) hinzukriegen. Und das schafft nicht jede.

Wieweit sich Ihre Figur beeinflussen lassen wird, können Sie selbst am besten beurteilen. Prüfen Sie Ihre Veranlagung (wie sehen Mutter, Schwester, Großmutter aus?), und fragen Sie sich, was Sie aus dieser Veranlagung bisher gemacht haben. Die Psyche hat zwar eine Menge damit zu tun, wie wir unser Leben gestalten, aber wenn es um Fett und Muskeln geht, ist die Biologie immer noch der Hauptfaktor. Wenn Sie Ihren Körper daraufhin betrachten, an welchen Stellen ein paar Muskeln die Fettpolster ersetzen könnten, sind Sie schon einen Schritt weiter. Es leuchtet daher ein, daß eine Diät idealerweise mit etwas Sport kombiniert werden sollte. Wo Muskeln sich entwickeln, bleibt für Fett weniger Platz. Tatsache ist: Eine Diät, mit der man gezielt die Fettzellen nur an den Oberschenkeln entleeren kann, die gibt es nicht und wird es nie geben. Diät kann nur – bestenfalls – etwas Fett abbauen. Wo das passiert, bestimmt jeder Körper selbst.

Hinzu kommt ein Naturmechanismus: Das Fett, das der weibliche Körper an Hüften, Po und Oberschenkeln speichert, verteidigt er auch in Mangelzeiten am hartnäckigsten. So kommt es, daß viele Frauen beim Diäthalten zuerst im Gesicht, am Dekolleté, an den Oberarmen und am Busen abnehmen, während die Pfunde an den Schenkeln wie festgeklebt bleiben. Daraus folgt: Frauen, die relativ schlank sind und nur etwa fünf Kilo abnehmen möchten, um in die kleinere Kleidergröße zu passen, haben es am schwersten. Ihr Körper kämpft um jedes Gramm, weil er ja – biologisch gesehen – seine Reserven für Notzeiten aufgeben soll. Und bei diesem Kampf läßt er sich viel einfallen. Heißhunger auf Fettreiches und Süßes ist beispielsweise so eine Strategie. Frauen mit mehr Übergewicht haben dagegen zu Anfang die tollsten Erfolgserlebnisse. Die ersten Kilos purzeln fast mühelos. Bei ihnen setzt der zähe Kampf um die Reserven später ein.

Fallstricke vermeiden. Diät halten will gelernt sein. Das klingt vielleicht seltsam für Menschen, die denken, es sei doch ganz einfach, weniger zu essen, den Hunger zu bezwingen, Disziplin zu halten. Falsch. Diäthalten gelingt nur mit einem realistischen Ziel und zum richtigen Zeitpunkt. Nur so können Sie vermeiden, daß aus dem Thema Diät ein Dauerbrenner wird. Ideal wäre: Die Diät, die Sie anfangen, sollte die letzte sein, die Sie machen.

UNMÖGLICHES: Schätzen Sie Ihr Ziel mit klarem Kopf ein, mit Blick auf Ihre Veranlagung und Ihren Lebensstil. Setzen Sie im Zweifelsfalle die Marke eher etwas zu niedrig an, das vermeidet Frust.

FALSCHER ZEITPUNKT: Der Anfang kann schon über Erfolg oder Mißerfolg entscheiden. In Streß-Zeiten verdoppelt eine Diät die Anspannung, und das ist sinnlos. Frauen reagieren Gefühle häufig über die Magen-Darm-Nerven ab. Mancher Magen ist bei Streß wie zugeschnürt, andere Frauen essen dann mehr als normal. Daß eine solche Phase kein guter Diät-Einstieg ist, leuchtet ein. Besser ist es, einen Zeitpunkt abzuwarten, der relativ wenig Belastungen erwarten läßt.

UNGEDULD: Schnell geht das Abnehmen nie – auch wenn Sie immer wieder von blitzartigen Gewichtsverlusten lesen. Die sind meist erfunden. Denken Sie dran, daß die Fettzellen sich ja auch nicht über Nacht aufgebläht haben, sondern daß viele Monate Speicher-Tätigkeit dahinterstecken. Also: langsam rauf, langsam runter.

Ideal ist ein durchschnittlicher Gewichtsverlust von einem Pfund pro Woche, über Monate hinweg. Auch das erklärt sich durch die Körper-Biologie: In den ersten Tagen einer Diät holt sich der Organismus die Energiereserven von den Zucker-Depots aus Leber und Muskeln. Da mit jedem Gramm Zucker drei- bis viermal soviel Wasser zusammenhängt, kommt es in den ersten Tagen zum großen Flüssigkeitsverlust. Das also sind die Pfunde, die bei Crash-Kuren so purzeln! Ein Scheinerfolg, denn das Fett sitzt immer noch in den Zellen. Erst nach einer knappen Woche sind die Fett-Depots dran, und die leeren sich entschieden langsamer. Wer also eine Diät beginnt, dann abbricht, wieder beginnt, wieder abbricht, befindet sich ständig in der Phase des Flüssigkeitsverlustes. Darum können Kurzdiäten auf Dauer nie erfolgreich sein!

VERZWEIFLUNG: Sie machen gerade Diät und haben einem Heißhungeranfall nachgegeben? Jetzt kommt das schlechte Gewissen, und Sie wollen alles hinschmeißen? Dieses Alles-oder-Nichts-Denken ist Unsinn. Kein Kilo Fett setzt sich von Montag auf Dienstag wieder in Ihrem Körper fest. Auch Gewichtszunahme dauert. Rückfälle lassen sich also ausgleichen. Vielleicht brauchen Sie sogar ab und zu einen Ausrutscher, um dann besser weitermachen zu können. Ist der Hunger auf Süßes beispielsweise mal gestillt worden, können Sie zur Diät zurückkehren. Mit anderen Worten: Ein Fehler ist nur ein Fehler und keine Katastrophe.

CELLULITE: Die sogenannte Orangenhaut mit ihren Dellen an Oberschenkeln und Po ist keine Krankheit. Fettzellen, die gerade an diesen Stellen besonders gierig speichern, haben sich ausgedehnt und drücken gegen die Oberhaut. So werden die feinen Blutgefäße zusammengequetscht, und das Gewebswasser kann nicht richtig durchfließen. Dann kann wirkliche Abhilfe nur darin bestehen, einerseits Fett abzubauen und andererseits wieder Muskeln zu entwickeln. Also wird eine Diät allein kaum helfen können. Die ideale Lösung ist hier ein zusätzliches Bewegungsprogramm wie unser sanftes Dauerlaufen (s. Seite 19). Durch Sport wird der Blutkreislauf angeregt, es kommt mehr Sauerstoff ins Blut, und die Muskeln werden wieder aufgebaut.

Wenn Sie zusätzlich Ihre Haut regelmäßig massieren, mit oder ohne Spezialcreme, sehen Sie nach ein paar Wochen echte Fortschritte.

STILLSTAND: Wenn sich kein Gramm rührt, und das seit Tagen oder Wochen, obwohl Sie sich an die Diät gehalten haben – was dann? Offensichtlich haben Sie einen Punkt erreicht, an dem Ihr Körper nicht mehr auf seine Reserven zurückgreift, sondern mit der angebotenen Kalorienmenge auskommt. Wer jetzt meint, durch noch weniger Kalorien den Körper überlisten zu können, irrt. Die Lösung liegt darin, den Stoffwechsel anzuregen (durch Sport) oder abzuwarten, bis der Stoffwechsel sich wieder etwas normalisiert hat. Je nach Dauer der Diätzeit kann das eine oder mehrere Wochen dauern. Verlieren Sie jetzt nicht den Mut. Ihr Essen schmeckt doch, und Sie haben ja schon einigen Erfolg gehabt! Nehmen Sie's als Atempause.

MÄNNER UND DIÄT: Männer haben einen höheren Grundumsatz als Frauen. Grundumsatz (oder Ruheumsatz) heißt der Energiebedarf, den der Körper hat, um sich und seine Funktionen in Ruhestellung zu erhalten – einem Motor im Leerlauf vergleichbar. Der Unterschied zwischen den Kalorien, die Männer, und denen, die Frauen verbrauchen, liegt also in der Menge, nicht in der Qualität. Folglich wird ein Mann bei der BRIGITTE-Diät schneller abnehmen als eine Frau, weil ihn das Nahrungsangebot pro Tag vermutlich hungrig vom Tisch aufstehen läßt. Hunger können Sie vermeiden, indem Sie Ihrem diätwilligen Mann oder Freund zum Beispiel beim Mittagessen oder beim Imbiß doppelte Portionen anbieten. Kein Problem, er nimmt trotzdem ab. Weil ein größerer Körper und mehr Muskeln nach mehr Energie (Kalorien) verlangen.

Sie werden auch feststellen, daß Ihr Mann seine Speckpolster um Bauch und Hüften („Rettungsring") häufig schneller loswird als Sie die Ihrigen an Po und Schenkeln. Der Unterschied liegt in der Natur: Auf der Oberfläche der Fettzellen sitzen Rezeptoren. Die einen – die Alpha-Rezeptoren – regen die Ansammlung von Fett an, die anderen – die Beta-Rezeptoren – stimulieren die Abgabe von Fett. Männer haben mehr Betas auf ihren Fettzellen, Frauen mehr Alphas. Daß das gerecht ist, wollen wir nicht behaupten ....

Was macht eine gute Diät aus?

Das ist schnell gesagt: Sie soll dem Körper in ausreichender Menge alles anbieten, was er braucht. Und sie soll gleichzeitig so wenige Kalorien enthalten, daß der Körper seine Fett-Depots angreifen muß. Ernährungswissenschaftler nennen das eine kalorienreduzierte, ausgewogene Mischkost. Dabei ist die Zusammensetzung der Diät besonders wichtig. Denn wenn die Nahrungsmenge kleiner wird, muß der verbleibende Rest trotzdem möglichst alle Mineralstoffe, Spurenelemente, Vitamine und auch ausreichend Kohlenhydrate, Eiweiß und, ja, auch Fett enthalten. Aus diesem Grund sind alle FdH-„Diäten" ungünstig. Wird die normale Nahrungsmenge einfach halbiert, halbiert sich auch die Menge der Nährstoffe.

Stichwort Nährstoffe: In den letzten Jahren wurde von den Ernährungswissenschaftlern der Begriff „Nährstoffdichte" geprägt. Damit ist gemeint, wie wertvoll ein Lebensmittel seiner Zusammensetzung nach ist. Als Faustregel kann man sagen: Fettige und süße Lebensmittel sind weniger nährstoffdicht als zum Beispiel Gemüserohkost und Vollkornprodukte, Hülsenfrüchte oder Kartoffeln.

Allerdings ist ebenso eindeutig, daß es kein einziges Lebensmittel gibt, mit dem allein sich unser Nährstoffbedarf decken ließe. Im Klartext heißt das: am besten von allem etwas essen, eine ausgewogene Mischkost eben.

Stichwort Fett: Diät und Fett – das scheint sich zu widersprechen. In der Tat können Wissenschaftler immer wieder belegen, daß sich die meisten Menschen zu fett (und zu süß) ernähren.

Eigentlich sollten nicht mehr als 30 Prozent der gesamten täglichen Kalorienmenge aus Fett bestehen. Das bedeutet bei normaler Kost (nicht bei Diät) 60 bis 70 Gramm Fett pro Tag. Aber ... daran hält sich kaum einer oder eine. Frauen essen laut Statistik durchschnittlich 92 Gramm Fett pro Tag, Männer sogar 117 Gramm. Fett ist nunmal der wirksamste Geschmacksträger – die sahnigen, cremigen Verführer beweisen uns das.

Ehe wir nun das Fett völlig verteufeln, stop! Genau wie alle anderen Nährstoffe ist es für uns lebenswichtig. Hätten wir beispielsweise keinerlei Fett in unserem Gewebe, wären wir arm dran. Jeder Stoß könnte uns die Knochen brechen, Kälte könnten wir nicht abwehren, die Haut wäre spröde und würde schnell aufplatzen. Klar also, daß jeder Mensch sein Fett braucht. Auf die Menge kommt es an!

Fettkalorien zum Beispiel werden sofort in den Depots abgespeichert, während die Kalorien, die der Körper durch Kohlenhydrate bezieht, zusätzlich verbrannt werden und damit Energie freisetzen. Ein Linseneintopf ohne Speck ist längst nicht so ein Dickmacher wie ein dickes Steak mit Kräuterbutter! Ganz abgesehen davon, daß Fett ins Blut eindringt, ehe es gespeichert wird.

Ideal ist, wenn unser Nahrungsfett zur Hälfte aus pflanzlichen Quellen stammt, weil hochwertiges Pflanzenfett aus einfach oder mehrfach ungesättigten Fettsäuren besteht. Diese Fettsäuren senken den Cholesterinspiegel des Blutes. Distel-, Walnuß-, Sonnenblumen-, Soja-, Lein- und Keimöle enthalten derartige Fettsäuren. Sonnenblumen-, Soja- und Keimöl kann man auch zum Braten verwenden, die anderen drei nur für Salate. Gutes Olivenöl hat einfach ungesättigte

Fettsäuren und erhöht die HDL-Werte (High-Density-Lipoprotein) des sogenannten „guten" Cholesterins. Wer an Fett denkt, muß aber auch die versteckten Fette in unserer Nahrung im Auge behalten. Zum Beispiel hat eine unverdächtige 100-Gramm-Tafel Joghurt-Schokolade zwischen 30 und 40 Gramm Fett! Bei Leberwurst ist man nicht ganz so überrascht: 100 Gramm enthalten 41 Gramm Fett (Salami: 50 Gramm).

Inzwischen sagen Ernährungswissenschaftler, daß es beim Abnehmen fast nur darauf ankommt, das Fett zu reduzieren. Daß es zum Beispiel kaum Einfluß hat, ob Sie eine Extra-Scheibe Brot, einen Apfel oder zwei Kartoffeln mehr essen als in der Diät angegeben. Hauptsache: Die tägliche Fettmenge bleibt – während der Diät – bei 30 Gramm. Das bedeutet, man muß nicht mehr sklavisch Kalorien zählen – wenn nur das Fett stimmt! Weshalb geben wir dann immer noch die Kalorien an? Ganz einfach, wer Kalorien zählt, zählt natürlich auch in erster Linie Fett...

Stichwort Eiweiß: Unser Stoffwechselfeuer braucht einen Heizer. Diese Rolle spielt das Eiweiß, das man mit einem Blasebalg vergleichen kann. Verbrannt werden sollen Fette und Kohlenhydrate. Allerdings: Zuviel Eiweiß ist nun auch wieder nicht gut, es belastet die Nieren. Eiweißmangel dagegen ist heute kein Thema mehr. Wir haben genügend in unserer täglichen Nahrung. Ideal ist, wenn das Eiweiß je zur Hälfte aus tierischen und aus pflanzlichen Quellen stammte, wenn wir also tierisches Eiweiß (Eier, Milch, Milchprodukte, Fleisch, Fisch) mit pflanzlichem (Kartoffeln, Getreide, Hülsenfrüchte, Nüsse) auf dem Teller kombinieren. Gute Beispiele dafür sind: Pellkartoffeln mit Quark. Kartoffelsuppe mit Rindfleisch. Für Vegetarierinnen sind beispielsweise das Sojaprodukt Tofu und das aus Süßlupinen gewonnene Lopino ein vollwertiger Ersatz für die Eiweißträger Fleisch und Fisch.

Stichwort Kohlenhydrate: Eine Diät ohne Kohlenhydrate wäre eine Tortur, denn Kohlenhydrate sind es , die am schnellsten satt machen. Sie enthalten Stärke und Ballaststoffe, die im Magen aufquellen. Durch ihre Masse funken sie ans Gehirn: Ich bin satt, Appetit laß nach! Daß

diese Wirkung für alle, die Diät halten, wichtig ist, liegt auf der Hand. Ständiger Hunger muß zermürben. Natürlich haben die komplexen Kohlenhydrate noch andere wichtige Aufgaben: Sie enthalten viele Vitamine und Mineralien und kaum Fett. Das gilt für Getreideprodukte genauso wie für Gemüse, Obst oder Hülsenfrüchte. Die Kartoffel – früher oft als Dickmacher verschrien – ist ein wahrer Schatz. Sie ist reich an Eiweiß, Phosphor und Eisen, aber auch an Vitamin C und an B-Vitaminen.

Verdauung: Was wir essen, soll nach etwa vierzehn Stunden verarbeitet und wieder draußen sein. Damit das so reibungslos abläuft, brauchen wir Ballaststoffe – die Fasern, Schalen und Zellwände von Pflanzen zum Beispiel, die bei ihrer Passage die Nervenenden im Darm anregen und den ganzen Verdauungsapparat in Bewegung bringen. Auf lange Sicht gesehen, ernähren Sie sich am gescheitesten, wenn Sie täglich von allen vier Ballaststoffgruppen (Getreide, Rohkost, Gemüse, Obst) etwas essen. Bei der BRIGITTE-Diät sollte es mit der Verdauung keine Schwierigkeiten geben. Dazu soll auch das Müsli beitragen, das wir anbieten. Klappt es dennoch mal nicht recht, nehmen Sie zusätzlich täglich einen Eßlöffel geschroteten Leinsamen oder Weizenkleie, zusammen mit reichlich Wasser. Weichen Sie auf gar keinen Fall auf Abführmittel aus!

Noch Fragen?

Was ist los, wenn Sie während der Diät Kopfschmerzen haben? Häufig hängt das damit zusammen, daß der Mineralstoff- und Wasserhaushalt des Körpers gestört ist. Kopfschmerzen, Schwindel, Konzentrationsschwäche können dann die Folge sein. Wenn Ihnen das passiert, versuchen Sie unbedingt, drei Liter Mineralwasser pro Tag zu trinken. Bei Diäten mit sehr wenigen Kohlenhydraten kann ein Mangel an Serotonin auftreten (das trifft für die BRIGITTE-Diät nicht zu!). Serotonin ist ein sogenannter Botenstoff für Nervenimpulse. Gibt es davon zu wenig, verfällt man in eine depressive Stimmung.

Erfolgsgeheimnis: Diät plus Sport

Sind Sie eine „Couchpotato" – wie die Amerikaner das nennen: eine „Sofa-Kartoffel"? Was so spaßig klingt, ist der Grund für manches Übel, denn Bewegungsfaulheit leistet nicht nur verspannten Muskeln Vorschub. Sobald dem menschlichen Körper keine Leistung mehr abgefordert wird, baut er ab. Die Blutversorgung wird schlechter, die Muskeln verkümmern, die kleinste Anstrengung bringt einen aus der Puste. Kein Wunder, daß das positive Körpergefühl langsam verschwindet und mit ihm das Selbstvertrauen.

Mehr Bewegung macht aber nicht nur lockerer und leistungsfähiger. Ein bißchen Sport, gut eingeplant, verstärkt den Erfolg einer Diät, macht die Figur garantiert ansehnlicher und – das Allerwichtigste – sorgt dafür, daß Sie nach Abschluß der Diät nicht wieder zunehmen. Das Erfolgsrezept zum Abnehmen und um das Gewicht danach zu halten, ist ein kombiniertes Diät- und Sportprogramm!

Nun müssen Sie bei dem Begriff Sport nicht zusammenzucken. Wir meinen damit keinen Leistungssport und keine Tortur an Kraftmaschinen von Fitness-Studios. Wir meinen damit ein sanftes Laufen oder Jogging. Warum?

Laufen ist unsere natürlichste Bewegungsform. Wir müssen es nicht erst lernen oder lange üben, wir können es schon, und zwar überall, bei jedem Wetter, ohne Vorbereitung, ohne Geräte, ohne Kosten. Und das Schönste daran ist, Laufen ist außerordentlich wirkungsvoll:

SANFTES DAUERLAUFEN hat den größten gesundheitlichen Wert, denn es fördert den Kreislauf optimal, ohne ihn gleichzeitig zu stark zu belasten. Sanftes Dauerlaufen bewirkt, daß der Körper mehr Fett verbrennt als Kohlenhydrate. Das ist beim Sprinten anders – da geht es erst an die Kohlenhydrat-(Zucker-)Reserven. Daher haben wir nach gemäßigtem Rennen

weniger Hunger als ein Schnelläufer. Sanftes Dauerlaufen hat den für das Abnehmen wichtigsten Effekt: Der Stoffwechsel arbeitet noch bis zu zwölf Stunden nach dem Sport auf Hochtouren. Das bedeutet nicht nur, daß das Blut besser mit Sauerstoff versorgt wird, sondern daß auch mehr Kalorien verbrannt werden. Ein wichtiger Punkt für Diätler! Außerdem fördert sanftes Dauerlaufen den Muskelaufbau. Erinnern Sie sich an den Ausdruck „magere Körpermasse" von Seite 13?

Wenn Sie der Fettanteil in Ihrem Körper nervt, was liegt da näher, als ihn da, wo es möglich ist, durch Muskeln zu ersetzen? Wo Muskeln sind, ist für Fett kein Platz mehr.

Sanftes Dauerlaufen ist ein Supermittel gegen Cellulite. Die Orangenhaut entsteht durch Einlagerungen von Fett-Tröpfchen zwischen den Bindegewebssträngen. Bewegungsfaulheit fördert das noch. Dann ist die Durchblutung schlecht, die Haut sieht blaß und eingedellt aus. Beim Laufen werden nicht nur die Muskeln wieder entwickelt, sondern die aktivere Durchblutung sorgt für mehr Sauerstoff in den Zellen. Eine ideale Ergänzung zum Fettabbau.

Sanftes Dauerlaufen ist außerdem ein echtes Kreislaufmittel. Es wird auch gegen zu hohen Blutdruck, bei erhöhtem Cholesterinspiegel und sogar bei Diabetes empfohlen. Und natürlich hilft es gegen Streß. Wer seine Nerven beruhigen und seine gute Laune zurückhaben will, sollte sich auf die Socken machen.

Unser Laufprogramm für Anfängerinnen und eingerostete Ex-Sportlerinnen:

1. WOCHE: Wir schlagen insgesamt 15 Minuten Laufen und Gehen im Wechsel vor – und das zwei- bis dreimal pro Woche. Der beste Anfangsrhythmus ist eine Minute joggen, eine Minute gehen (zählen Sie einfach jedesmal bis 60). Abschließend kommt – ganz wichtig – das

Stretching – ganz wichtig!

1. Oberschenkel-Stretching (vorn)
Wenn möglich in Schulterhöhe mit einer Hand abstützen. Mit der anderen den Fußknöchel fassen und die Ferse behutsam zum Po ziehen. Jetzt die Anspannung halten, 20 Sekunden lang. Die Schultern dabei zurücknehmen. Dasselbe mit dem anderen Bein wiederholen.

2. Knie-Stretching
Die Hände auf den Rücken legen. Das Standbein leicht beugen, das andere Bein vorstrecken, Fußspitze zeigt nach oben. Ferse bleibt auf dem Boden. Jetzt den Rücken, ganz gerade, langsam nach vorn beugen. 20 Sekunden, dann das Standbein wechseln und dasselbe noch einmal. Nicht nachfedern!

Stretching, damit die ungeübten Muskeln keinen Ärger machen. Die Übungen finden Sie auf dieser und der nächsten Seite.

2. UND 3. WOCHE: Je nachdem, wie Sie sich fühlen, steigern Sie die Laufphasen auf jeweils zwei Minuten. Das Gehen bleibt bei einer Minute, alles insgesamt 15–20 Minuten lang. Danach: Stretching.

4. WOCHE: Jetzt sollten Sie schon ziemlich fit sein und längere Laufzeiten bewältigen können, zum Beispiel vier Minuten Jogging, eine Minute Gehen, und so weiter. Insgesamt schaffen Sie möglicherweise bereits die halbe Stunde. Das reicht. Abschließend nicht das Stretching vergessen, etwa zwei Minuten lang, ohne nachzufedern.

Hören Sie immer ganz genau hin, wie Ihr Körper sich fühlt. Überanstrengung ist out! Lieber noch ein Weilchen langsam laufen, dafür regelmäßig. Sie sollten Ihr Programm ohne

3. Waden-Stretching

Ein Bein so weit wie möglich nach hinten stellen. Die Ferse steht auf dem Boden. Das andere Bein beugen, die Hände umfassen dabei das Knie. Dehnen, nicht nachfedern, 20 Sekunden lang. Währenddessen bilden Kopf, Po und hintere Ferse eine Linie. Dasselbe mit dem anderen Bein wiederholen.

4. Oberschenkel-Stretching (innen)

Ein Bein weit zur Seite strecken, das Knie des anderen Beines beugen. Beide Fersen bleiben währenddessen am Boden, beide Fußspitzen zeigen in dieselbe Richtung wie die Knie. 20 Sekunden anspannen, nicht federn. Dasselbe zur anderen Seite wiederholen.

Anstrengung durchziehen können. Wenn das Herz übermäßig pumpt oder wenn Ihnen das Blut ins Gesicht schießt – stop! Nur weitergehen, nicht rennen.

Sie werden merken, wie Ihre Kondition sich bessert, auch wenn Ihnen das Laufen nicht jeden Tag denselben Riesenspaß macht. Das ist ganz natürlich. Nach einer Weile, so sagen Laufgewöhnte, stellt sich deutliches Wohlbehagen ein, und man möchte das Jogging gar nicht mehr missen.

WAS SIE BRAUCHEN: Ganz wenig: einen Jogginganzug und gut passende, flexible Laufschuhe. Die sind überhaupt das Wichtigste, damit Sie sich nicht verletzen. Denn 75 Prozent der Belastung müssen die Füße tragen. Außerdem raten wir, möglichst auf Wald- oder Sandboden zu laufen, nicht gleich auf Asphalt. Wer am Anfang noch ein paar Pfunde zuviel mitschleppen muß, kann erstmal zügig gehen oder radfahren. Und mit dem Laufen erst später anfangen.

Hunger auf Süßes kann bitter sein

Hier ist der Stolperstein Nummer eins für so manchen Diätversuch: Bei einer Umfrage von BRIGITTE gaben 52 Prozent der befragten Frauen an, daß ihnen während ihrer Diät die Gier auf Süßes das Leben schwer mache. Und: Je jünger die Befragte war, desto weniger konnte sie sich gegen diesen süßen Drang wehren. Abgesehen davon, daß auch ohne Diät – bei normaler Kost – viele Frauen täglich einen starken Süßhunger erleben.

Woher kommt das? Was bewirkt diese offensichtliche Ohnmacht einer Tafel Schokolade oder einem Stück Sahnetorte gegenüber? Sie hat biologische und psychologische Gründe, und diese Kombination ist es, die den Drang nach Süßem so überwältigend macht.

Zunächst einmal ist der Zucker, der ins Blut gerät, eine Energiequelle für den Körper, die er sofort anzapfen kann, sozusagen wie ein Kraftfutter. Denken Sie an Sportler, die ihre Power durch einen Schokoriegel oder – noch deutlicher – durch eine Dosis Traubenzucker schnell wieder aufheizen. Wenn im Laufe des Tages der Blutzuckerspiegel zu tief absinkt, fühlt man sich schlapp und ausgelaugt, ist vielleicht dazu noch nervös und unkonzentriert. Und hungrig. Wer jetzt Kohlenhydrate zu sich nimmt, fühlt sich gleich besser, denn der Blutzuckerspiegel kann wieder ansteigen. Das bewirken die sogenannten „komplexen" Kohlenhydrate (Brot, Gemüse, Kartoffeln, Hülsenfrüchte) zwar auch, aber langsamer als die „isolierten" (Zucker). Es gibt die Theorie, daß der Körper bei vielen Menschen auf Zucker „gedrillt" sein könnte: Wer häufig seinen Hunger – als kleine Stärkung zwischendurch – mit Süßem stillt (Pausensnack!),

trainiert den Organismus möglicherweise dazu, seinen Energiebedarf nun als Süßhunger auszudrücken.

Der zweite biologische Grund für die dauernde süße Gier ist ein Ausgleichsmechanismus des Körpers. Wenn bei niedrigem Blutzuckerspiegel (Unterzuckerung) das Kraftfutter Zucker gegessen wird, wird der Blutzuckerspiegel plötzlich gewaltig erhöht (nicht langsam, wie bei den komplexen Kohlenhydraten). Das bedeutet Alarm für die Bauchspeicheldrüse, die kräftig Insulin ausschüttet, um den Blutzuckerspiegel zu senken – schnellstens und heftig, bis hin zur Unterzuckerung. Schon lebt der Hunger auf Süßes wieder auf, und der ganze Kreislauf beginnt von vorn.

Grund Nummer drei liefert die Seele: Süßes verwöhnt nicht nur die Geschmacksknospen auf der Zunge, sondern bedeutet viel mehr: Lob, Trost und Belohnung, Geborgenheit wie in Kindertagen, ein Pflaster für innere Verletzungen, eine Beruhigungspille im Streß. So ist es denn verständlich, daß sich viele der Lust auf Süßes hilflos ausgeliefert fühlen.

Was also tun? Wir glauben, wer die Gründe für diesen Heißhunger durchschaut, hat eine Chance, besser mit ihm fertig zu werden. Zum Beispiel so:

DEN MAGEN nie richtig leer werden lassen. Verschiedene kleine Mahlzeiten helfen dabei, daß der Blutzuckerspiegel gar nicht erst zu tief absinkt. Dazu gibt es dann noch den bewährten Tip, rasch eine Möhre oder einen Apfel zu essen.

AKTIV BLEIBEN. Wenn Sie eine interessante Arbeit haben und/oder sich körperlich einsetzen, ist die Gefahr der Süßattacke geringer. Langeweile oder Verdrossenheit machen Appetit auf Süßes.

KAPITEL 5

VORAUSPLANEN. Legen Sie sich möglichst keine verführerischen süßen Sachen in den Kühlschrank. Was dort liegt, wird ständig in Ihrem Kopf kreisen, bis ...

IST DER SÜSSHUNGER ÜBERMÄCHTIG, befriedigen Sie ihn! Das hört sich als Diätratschlag seltsam an, ist aber ernst gemeint. Denn es ist besser, Sie schlagen einmal kräftig zu und gehen dann wieder zur normalen Tagesordnung (Diät) über, als daß Sie sich tagelang zermürben. Manchen Frauen hilft es auch, sich regelmäßig – in Maßen – etwas Süßes zu genehmigen. Dazu haben wir ab Seite 147 eine Reihe von Rezepten süßer Gerichte anzubieten, die Sie mit einplanen können. Die süßen Sachen verstehen wir als Zusatz zur Diät (Sie nehmen einige Kalorien mehr zu sich und auch etwas mehr Fett), nicht als Ersatz (dann stimmen die Nährstoffe nicht mehr).

SÜSSE ALTERNATIVEN sind frische Früchte und ungeschwefeltes Trockenobst. (Trockenobst wird nur geschwefelt, damit es besser aussieht. Aber Schwefel zerstört das Vitamin B_1, das ohnedies knapp ist). Müsliriegel (mit wenig Zucker!) oder Vollkornkekse sind ebenfalls hilfreich. Bei Zuckeraustauschstoffen ist Vorsicht zu raten, denn Fruchtzucker, Sorbit oder Xylit haben in etwa die gleiche Kalorienzahl wie weißer Haushaltszucker. Auch Honig hat sie! Dagegen sind Süßstoffe wie Aspartame (Nutra-Sweet) oder eine Mischung aus Saccharin und Cyclamat so gut wie kalorienfrei (siehe auch Seite 10).

Noch Fragen?

Können Fettpolster auch ihr Gutes haben? Ja, in Maßen. Für die Gesundheit sind sie sogar manchmal von Vorteil: Frauen ab 40, die ein paar Rundungen haben, sind weniger durch Osteoporose gefährdet. So heißt der Knochenschwund, bei dem das Knochengewebe mit der Zeit rissig und spröde wird. Ursache ist ein Abbauprozeß im Knochen. Er wird mit dem natürlichen Östrogenschwund während der Wechseljahre in Verbindung gebracht. Im Fettgewebe kann der Körper dagegen weiterhin Östrogene bilden.

Helfen „Light"-Produkte beim Abnehmen? Kaum, denn das „Light"-Angebot ist eher verwirrend. So gibt es für die Verwendung des Begriffes „light" oder „leicht" keine allgemeine gesetzliche Regelung, sondern nur für einige Produktgruppen. „Leicht" muß auch nicht immer kalorienarm bedeuten, sondern kann sich unter anderem auf den Geschmack („leicht gesalzen") oder auf die Bekömmlichkeit beziehen. Man muß also schon sehr genau hingucken und das Kleingedruckte lesen. „Kalorienreduzierte" Lebensmittel müssen eine Nährwertkennzeichnung auf der Packung haben, mit Kalorienangaben pro 100 Gramm oder alternativ 100 Milliliter. Dort muß auch stehen, wieviel Fett in 100 Gramm enthalten ist. Denn nur so kann man vergleichen. Echte Butter hat beispielsweise etwa 80 Prozent Fett. Wenn ein Streichfett dann mit dem Aufdruck „50 % weniger Fett als Butter" verkauft wird, hat es immer noch 40 % Fett.

Was sind leere Kalorien? Enthält ein Nahrungsmittel kaum Nährstoffe (Mineralien, Vitamine oder Spurenelemente), so hat es „leere" Kalorien. Das beste Beispiel dafür ist weißer Haushaltszucker: 100 Gramm haben rund 400 Kalorien, sonst kaum irgendwelche Nährstoffe. Das gilt auch – neben Süßigkeiten – für Backwaren aus Weißmehlen (Weißbrot, Kuchen, Torten, Kekse) und alkoholische Getränke.

Die Diät war erfolgreich – und nun?

Der Tag ist endlich da. Die Diät ist beendet, und Sie wollen zur Normalität zurückkehren. Sie hatten Ihr Erfolgserlebnis. Die Pfunde, die Sie störten, sind weg oder jedenfalls annähernd weg. Zeit zur Besinnung. Während der Diät haben Sie gemerkt, daß sich Ihre Ernährung – verglichen mit dem, was zu „normalen" Zeiten bei Ihnen auf den Tisch kam – etwas verändert hat. Sie haben

das Fett reduziert, Sie haben gezielt Lebensmittel mit hoher Nährstoffdichte gegessen und dadurch Lebensmittel mit den sogenannten leeren Kalorien weggelassen. Wir wetten, daß sich auch Ihr Ernährungsbewußtsein geschärft hat und daß Ihnen plötzlich sogar Dinge schmecken, die Sie früher überhaupt nicht in Erwägung gezogen hätten.

Unser Rat ist simpel: Bleiben Sie bei dieser Art von Ernährung. Behalten Sie das Müsli bei, lassen Sie die Finger vom Fett, und verwerten Sie weiterhin die komplexen Kohlenhydrate. Wenn die BRIGITTE-Diät Ihre Eßgewohnheiten in dieser Richtung beeinflußt hat, dann war sie – auch ohne sensationellen Gewichtsverlust – ein voller Erfolg!

Eßgewohnheiten lassen sich nur schwer verändern. Wenn Sie es geschafft haben, auch nur eine oder zwei positiv umzupolen – herzlichen Glückwunsch. Warum der Wechsel so schwer fällt? Eßgewohnheiten wurden in der frühen Kindheit angelernt, und – einmal verinnerlicht, wird man sie so leicht nicht wieder los. Essen ist ja nicht nur Nahrungsaufnahme, sondern steht häufig für Zuwendung, Liebe, Geselligkeit, Spaß, Unterhaltung oder Trost. Tat das Knie weh, schob Mutter einen Schokoriegel drüber. Kein Wunder also, daß wir lernen, Schmerz und

Unwohlsein mit Essen zu vertreiben. Wer hat nicht ein Lieblingsgericht, bei dem er glücklich die Augen verdreht, und das schon seit Kindertagen?

Freude am Essen ist wichtig! Für die Zeit nach der Diät wollen wir Ihnen daher mit ein paar praktischen Ratschlägen über die Runden helfen.

DIE UMSTELLUNG von Diät auf „normal" muß unbedingt Schritt für Schritt vor sich gehen. Und zwar so langsam wie möglich. Als Einstiegshilfe: Essen Sie in der ersten Woche nach Diätende nur etwa 1200 bis 1300 Kalorien, und steigern Sie die Kalorienmenge ganz behutsam. Ihr Stoffwechsel hat sich während der niedrigeren Kalorienzufuhr verlangsamt. Er muß sich jetzt erst wieder einpendeln, und das braucht Zeit. Experten haben herausgefunden, daß der Stoffwechsel nach vier Wochen Diät mindestens eine Woche braucht, um umzuschalten. Wer länger Diät gehalten hat, muß damit rechnen, daß auch der Körper Wochen braucht, um wieder einigermaßen normal zu funktionieren. Außerdem ist dieser Vorgang bei jedem Menschen anders. Spätestens hier werden Sie einsehen, wie wichtig ein Sportprogramm ist, das Sie in Ihren Alltag mit einbauen! Bewegung fördert den Stoffwechsel und hilft bei der Umstellung.

VERSCHIEDENE KLEINE MAHLZEITEN über den Tag verteilen – bleiben Sie bei dieser Methode. So hat der Magen immer etwas zu tun, Ihr Blutzuckerspiegel sackt nie ganz in den Keller, und Sie brauchen sich vor Heißhungeranfällen nicht zu fürchten.

DER SATZ „ISS DEINEN TELLER LEER, SONST …" gilt nicht mehr. Wer nicht weiter ißt, ist nicht mehr hungrig. Das allein zählt. Ob der Essensrest nun in den Müll wandert oder in die Hundeschüssel, sollte doch egal sein. Besser, der Rest landet im Mülleimer als auf der Hüfte. Oder?

„NEHMEN SIE DOCH NOCH EIN STÜCK KUCHEN." Hier ist ein freundliches „Nein, danke" besser, als sich hinterher zu ärgern. Essen, um anderen einen Gefallen zu tun, obwohl man wirklich nicht mehr hungrig ist, das ist der denkbar dümmste Grund für Übergewicht.

ZÄHLEN SIE DAS FETT. Machen Sie sich mit dem Fettgehalt der für Sie wichtigsten Lebensmittel vertraut. Wenn Sie eine Ahnung haben, wieviel ein Brötchen mit Käse, eine Tafel Schokolade oder ein Steak an Fett enthalten, verlieren Sie nie ganz den Überblick. Obwohl Kalorienzählen „out" ist: Wer die Werte so etwa kennt, wer vor allem weiß, wo das versteckte Fett lauert, kommt auf Dauer besser zurecht. Essen soll ja keine Rechenübung bis ans Ende Ihrer Tage sein – Ihr Ziel ist ein entspannter Umgang mit dem Überangebot an Nahrung.

BINSENWEISHEITEN, deren Wiederholung nicht schaden kann: Nicht mit hungrigem Magen einkaufen gehen. Keine Riesenvorräte an Süßem anlegen. Nicht nur nach der Uhr essen, sondern dann, wenn man echt hungrig ist. Langsamer essen, damit der Magen Zeit hat, sein Sättegefühl anzuzeigen. Alles gut durchkauen, damit die Speichel- und Magensäfte ihre Wirkung entfalten können. Nicht aus Langeweile essen. Das Essen bewußt genießen – nicht dabei fernsehen oder lesen.

VORAUSPLANUNG HILFT und bewahrt vor Essensfallen: Machen Sie einen Menüplan für eine Woche im voraus, und kaufen Sie ausschließlich danach ein.

SIE SIND BEWEGLICHER geworden, als Sie es vor Beginn der Diät waren. Nutzen Sie es aus. Also: Auto stehenlassen und zu Fuß gehen. Treppen steigen, statt Fahrstuhl fahren. Größere Strecken radeln, statt mit dem Bus fahren.

VERBIETEN SIE SICH KEINE SPEISE. Wer sich ständig streng diszipliniert, stellt sich selbst eine Psycho-Falle. Wer sich zum Beispiel sagt, ich darf nie wieder Walnußeis essen, macht aus Walnußeis ein Hauptthema, um das die Gedanken nun kreisen. Wenn Walnußeis im Moment so

attraktiv ist ... essen Sie es. Wie schon gesagt, kein Mensch nimmt über Nacht ein paar Kilo an Fett zu.

VIEL MINERALWASSER zu trinken, ist eine gute Gewohnheit. Behalten Sie sie bei. Trinken Sie es pur oder mit reinen Fruchtsäften gemischt. Für Frauen ist viel Flüssigkeit besonders wichtig, weil sie eher zu Blasenentzündungen neigen als Männer. Die Flüssigkeit beugt dem vor – sie spült das Harnsystem gründlich durch.

KEIN TERROR DURCH DIE WAAGE! Wiegen Sie sich höchstens einmal in der Woche. Noch besser ist es, wenn Sie nur Ihrem Körpergefühl vertrauen oder danach gehen, wie locker oder knapp Ihre Kleidung sitzt. Gewichtsschwankungen von zwei bis drei Kilo sind ganz normal und kein Anlaß zur Panik. Außerdem klettert das Gewicht auch, wenn sich zeitweise mehr Wasser im Gewebe speichert. Meist geschieht das vor der Periode.

PROBIEREN SIE neue Rezepte aus, oder wandeln Sie unsere Diätrezepte nach Belieben ab. Testen Sie neue Getreidesorten, experimentieren Sie mit der Müsli-Zusammensetzung. Abwechslung macht Spaß, nicht dick!

WENN SIE DER FRUST BEUTELT, zaubern Sie sich eine von den Süßspeisen ab Seite 146 auf den Tisch. Das hilft vielleicht. Was aber bestimmt hilft, ist ein halbes Stündchen sanftes Laufen (s. S. 19). Erstaunlich, wie schnell dann trübe Gedanken verschwinden!

BEWUSSTSEIN heißt das Schlüsselwort für Ihre künftige Einstellung zur Ernährung. Das bedeutet, daß Sie sich Ihr Eßverhalten wirklich bewußtmachen. Es bedeutet nicht, von ihm besessen zu sein! Entspannen Sie Ihr Verhältnis zum Essen, auch zum Essen von Fettem oder Süßigkeiten. Denn Schlankheit kann kein Lebensziel sein, sonst würden Sie viele interessante Dinge im Leben verpassen. Außerdem sind Frauen, die sich über nichts anderes unterhalten als das Essen und seine mögliche Auswirkung auf die Figur, nun wirklich die langweiligsten Gesprächspartnerinnen! Hat sich Ihr Gewicht einmal eingependelt und haben Sie das Gefühl, damit ganz gut leben zu können – dann lassen Sie's gut sein. Schließen Sie Frieden mit Ihrem Körper.

Bandnudeln mit
Rindfleisch und Gemüse
auf Salatbett
(Rezept siehe Seite 39)

Die Brigitte-Diät

28 Tagespläne
mit je 1000 Kalorien

Sonntag

FRÜHSTÜCK

Brot mit Ei und Apfelsalat

Eine halbe Scheibe Vollkornbrot mit einem Teelöffel Tomatenmark bestreichen. Mit Streuwürze und Kräutern bestreuen. Dazu gibt es ein gekochtes Ei und einen geraspelten, mit etwas Zitronensaft beträufelten Apfel. Wer's hat, schmückt ihn noch mit Melisseblättchen.

EXTRA

Orangenmüsli

Eine halbe Orange auspressen und den Saft mit zwei Eßlöffel Müsli mischen (s. S. 47).

WARME MAHLZEIT

Hähnchen mit Reis und Salat (Foto)

Drei Eßlöffel Naturreis (45 g) in Salzwasser aufkochen und mit wenig Hitze 30 bis 40 Minuten quellen lassen. Eine Hähnchenkeule mit Salz und Cayennepfeffer einreiben, in die kalte Pfanne legen und mit einem Deckel verschlossen auf mittlerer Wärmestufe langsam braten. Je eine Zwiebel und Möhre kleinschneiden. Nach 15 Minuten das ausgebratene Fett abgießen, Gemüse, etwas Majoran und eine halbe Tasse Brühe in die Pfanne geben. Das Fleisch wenden und weitere 15 Minuten braten. Eine Tomate fein würfeln und mit zwei Teelöffel Öl, Zitronensaft, Salz und Pfeffer verrühren. Die Hälfte davon mit einer Portion Blattsalat mischen, die andere Hälfte aufheben. Reis, Hähnchenkeule und Salat auf einen Teller geben, die Soße etwas einkochen und nachwürzen. Nach Geschmack mit frischen Kräutern bestreuen.

TIP: Kochen Sie für morgen und übermorgen die dreifache Menge Reis, also insgesamt neun Eßlöffel in knapp einem halben Liter Salzwasser. Die restliche Salatsoße gibt es heute abend.

VEGETARISCHER TIP: Braten Sie statt der Hähnchenkeule eine Scheibe Tofu (etwa 125–150 g) in einem Teelöffel Öl. Gut schmeckt hier Kräuter-Tofu.

EXTRA

Fruchtiges Knäckebrot

Eine Scheibe Vollkornknäckebrot mit einem Teelöffel Marmelade bestreichen. Einen halben Apfel in Scheiben schneiden und darauflegen.

IMBISS

Bunter Salat

Einen halben Apfel und eine Möhre raspeln. Eine Kiwi und drei kleine Tomaten kleinschneiden und mit einer Portion Blattsalat und der restlichen Salatsoße von heute mittag mischen. Mit frischen Kräutern bestreuen. Dazu gibt es eine halbe Scheibe Vollkornbrot.

**Hähnchen
mit Reis und Salat**

Montag

Zutaten
(ca. 1000 Kalorien)

210 g Dickmilch (1,5 %),
3 TL Crème fraîche,
¼ l Buttermilch
(250 g),
2 Scheiben Käse (30 %),
1 TL Öl,
1 Scheibe Vollkornbrot,
1 Vollkornzwieback,
2 EL Müsli,
150 g gekochter Natur-
reis (45 g Rohgewicht),
1 schwach gehäufter TL
Sonnenblumenkerne,
Gemüsebrühe
(Instant),
4 TL Tomatenmark,
1 Birne,
½ Orange,
1 mittelgroße
Aubergine (200 g),
1 kleine Möhre,
1 kleine Tomate,
Kresse, Rosmarin
(frisch oder getrock-
net), Cayennepfeffer,
Pfeffer, Salz, Zimt,
Zitrone

FRÜHSTÜCK
Fruchtmüsli
Zwei Eßlöffel Müsli mit sieben Eßlöffel Dickmilch (ca. 105 g) mischen und je eine halbe kleingeschnittene Orange und Birne unterheben.

EXTRA
Ein Viertelliter Buttermilch

WARME MAHLZEIT
Auberginen-Reispfanne (Foto)
Eine Aubergine in einem geschlossenen Topf zehn Minuten mit etwas Salzwasser vorgaren, zwischendurch einmal umdrehen. Die Hälfte vom gestern zusätzlich gekochten Reis (45 g Rohgewicht) mit einer gehackten Möhre mischen. Die vorgegarte Aubergine und eine Tomate in Scheiben schneiden, eine Scheibe Käse würfeln. Gemüsescheiben mit Reis in eine Pfanne schichten. Zwei Teelöffel Tomatenmark, Rosmarin, Salz und Pfeffer mit einer halben Tasse Gemüsebrühe verrühren, über das Pfannengericht gießen. Käsewürfel und einen schwach gehäuften Teelöffel Sonnenblumenkerne darüberstreuen. Zugedeckt einige Minuten erhitzen. Dazu gibt es eine Soße aus sieben Eßlöffel Dickmilch (ca. 105 g), einem Teelöffel Öl, Zitronensaft, Salz und Cayennepfeffer.

Sahne-Zwieback
Einen Vollkornzwieback mit drei Teelöffel Crème fraîche bestreichen und mit Zimt bestreuen.

IMBISS
Käsebrot mit Birne
Eine Scheibe Vollkornbrot mit zwei Teelöffel Tomatenmark bestreichen. Eine halbe Birne in Scheiben schneiden und mit einer Scheibe Käse aufs Brot legen. Dann mit frisch gemahlenem Pfeffer und gehackter Kresse bestreuen.

Auberginen-Reispfanne

Dienstag

ZUTATEN
(ca. 1000 Kalorien)

3 Scheiben gekochter Schinken (60 g),
7 EL Dickmilch (1,5 %, 105 g),
¼ l Buttermilch (250 g),
1 Scheibe Schnittkäse (30 %),
2 TL Öl,
1 Scheibe Vollkornbrot,
2 EL Müsli,
150 g gekochter Naturreis (45 g Rohgewicht),
Gemüsebrühe (Instant),
Sojasoße,
1 kleine Mandarine,
½ TK-Paket grüne Bohnen (150 g),
3 mittelgr. Kartoffeln,
½ Bund Radieschen,
1 kleine Tomate,
1 mittelgr. Zwiebel,
Bohnenkraut (frisch oder getrocknet),
Petersilie,
Schnittlauch, Pfeffer,
Salz, Zitrone

FRÜHSTÜCK
Käsebrot mit Mandarine

Das Vollkornbrot mit den Scheiben einer Tomate und einer Scheibe Schnittkäse belegen. Frische Kräuter darüberstreuen. Dazu gibt es eine Mandarine.

EXTRA
Dickmilch-Müsli

Zwei Eßlöffel Müsli mit sieben Eßlöffel Dickmilch (etwa 105 g) verrühren.

WARME MAHLZEIT
Pellkartoffeln mit Bohnen und Schinken (Foto)

Drei Kartoffeln in Salzwasser kochen. Die grünen Bohnen garen (wie auf der TK-Packung angegeben). Eine Zwiebel kleinschneiden und in einer halben Tasse Gemüsebrühe mit etwas Pfeffer und Zitronensaft kochen. Bohnen abgießen und die Hälfte zu den Zwiebeln geben. Mit viel Petersilie und frischem Bohnenkraut bestreuen. Einen Teelöffel Öl dazugeben. Drei magere Scheiben gekochten Schinken eine Minute lang auf dem Gemüse erwärmen, Kartoffeln pellen und dazu essen.

TIP: Kochen Sie insgesamt elf Kartoffeln und ein ganzes Paket Bohnen. Sie brauchen beides morgen und übermorgen.

EXTRA
Ein Viertelliter Buttermilch

IMBISS
Reissalat

Ein halbes Bund Radieschen in dünne Scheiben schneiden und mit 150

Pellkartoffeln mit Bohnen und Schinken

Gramm gekochtem Reis (vom Sonntag, 45 Gramm Rohgewicht), Schnittlauchröllchen, gehackter Petersilie, Zitronensaft, etwas Sojasoße und einem Teelöffel Öl mischen.

VEGETARISCHER TIP: So ersetzen Sie den gekochten Schinken: eine Scheibe Käse (30 %, 20 g) mit einem Teelöffel Tomatenmark bestreichen, mit Basilikum bestreuen und eine zweite Käsescheibe drauflegen. Mit Pfeffer und einem Teelöffel Sesamsamen bestreuen und auf den Bohnen erwärmen.

Mittwoch

ZUTATEN
(ca. 1000 Kalorien)

185 g Dickmilch (1,5 %),
2 Scheiben Käse (30 %),
½ Paket Mager-
quark (125 g),
2 TL Crème fraîche,
2 ½ TL Öl,
1 Scheibe Vollkornbrot,
2 EL Müsli,
½ TL Honig,
Gemüsebrühe
(Instant), Essig,
1 mittelgr. Apfel,
1 kleine Banane,
150 g gekochte grüne
Bohnen (½ TK-Paket),
3 gek. Kartoffeln,
2 kleine Möhren,
½ Bund Radieschen,
2 kleine Tomaten,
1 mittelgr. Zwiebel,
Basilikum, Petersilie
(glatt), Schnittlauch,
Kumin, Pfeffer, Salz,
Zimt, Zitrone

FRÜHSTÜCK
Apfelmüsli
Die restliche Dickmilch (ca. 185 g) mit zwei Eßlöffel Müsli und einem geraspelten Apfel mischen und Zimt darüberstreuen.

EXTRA
Eine Banane

WARME MAHLZEIT
Gemüsetopf (Foto)
Eine Zwiebel, zwei Möhren, eine Scheibe Käse und drei gekochte Kartoffeln (von gestern) kleinschneiden. Zwiebeln und Möhren in einer halben Tasse Gemüsebrühe mit einer Teelöffelspitze Kumin und einem Teelöffel Essig fünf Minuten kochen. 150 Gramm gekochte Bohnen (von gestern) und die Kartoffelwürfel unterheben und erhitzen. Mit Pfeffer, Salz, zwei Teelöffel Öl und viel glatter Petersilie würzen. Die Käsewürfel darüberstreuen.

EXTRA
Zitronenquark
Ein halbes Paket Magerquark mit zwei Teelöffel Crème fraîche, Zitronensaft, einem halben Teelöffel Honig und etwas Zitronenschale verrühren.

IMBISS
Radieschen-Tomaten-Salat
Zwei Tomaten und ein halbes Bund Radieschen kleinschneiden, mit Schnittlauch, Salz, Pfeffer, Zitronensaft und einem halben Teelöffel Öl vermengen. Dazu gibt es eine Scheibe Vollkornbrot mit einer Scheibe Käse und Basilikumblättern.

Gemüsetopf

Donnerstag

ZUTATEN
(ca. 1000 Kalorien)

2 Scheiben gekochter Schinken (40 g),
1 Becher Magermilchjoghurt,
½ Paket Magerquark (125 g),
1 TL Crème fraîche,
1 TL Butter oder Margarine,
2 TL Öl,
1 Scheibe Vollkornbrot,
2 EL Müsli,
½ TL Honig,
Kaffeepulver (Instant),
1 EL Kürbiskerne,
Gemüsebrühe (Instant),
1 TL Kapern,
1 TL Senf,
1 TL Tomatenmark,
1 mittelgr. Birne,
1 kleine Mandarine,
5 gek. Kartoffeln,
1 Lauchzwiebel,
1 kleine Möhre,
½ Dose Sauerkraut (ca. 140 g),
1 kleine Tomate,
Kresse, Petersilie,
Schnittlauch,
1 Lorbeerblatt,
Edelsüß- und Rosenpaprika,
Pfeffer, Salz,
Streuwürze,
Zitrone

FRÜHSTÜCK
Kressebrot

Eine Scheibe Vollkornbrot mit je einem Teelöffel Butter oder Margarine und Tomatenmark bestreichen, mit viel gehackter Kresse, einem Eßlöffel Kürbiskernen und Streuwürze bestreuen.

EXTRA
Kaffeemüsli

Einen Becher Magermilchjoghurt mit zwei Eßlöffel Müsli und einem halben Teelöffel Honig vermischen und Kaffeepulver darüberstreuen.

WARME MAHLZEIT
Bratkartoffeln mit Sauerkraut und Schinken (Foto)

Eine halbe Tasse Gemüsebrühe mit je einer Teelöffelspitze Rosenpaprika und Edelsüß-Paprika und einem Lorbeerblatt aufkochen. Eine kleingeschnittene Lauchzwiebel, eine halbe kleine Dose Sauerkraut und eine Birne in der Brühe 10 bis 15 Minuten auf mittlerer Wärmestufe dünsten. Inzwischen drei gekochte Kartoffeln kleinschneiden und in einem Teelöffel Öl braten. Zwei Scheiben gekochten

Schinken dazugeben. Alles mit viel gehackter Petersilie bestreuen.

EXTRA
Kräuterquark

Ein halbes Paket Magerquark mit Streuwürze und gehackten Kräutern verrühren.

IMBISS
Kartoffel-Mandarinen-Salat

Zwei gekochte Kartoffeln, eine Möhre und eine Tomate kleinschneiden, eine Mandarine in Spalten teilen. Alles mit je einem Teelöffel Öl, Senf und Kapern mischen und mit Salz, Zitrone, Pfeffer, Schnittlauch und Petersilie würzen und etwas ziehen lassen.

VEGETARISCHER TIP: Nehmen Sie für die warme Mahlzeit statt der zwei Scheiben gekochtem Schinken zwei dünne Scheiben geräucherten Tofu (etwa 100 g) und braten sie mit den Kartoffeln.

Bratkartoffeln mit Sauerkraut und Schinken

Freitag

125 g Rotbarschfilet,
½ Becher Magermilchjoghurt,
1 TL Butter oder Margarine,
2 TL Öl,
1 Scheibe Vollkornbrot,
1 Scheibe Vollkornknäckebrot,
2 EL Müsli,
1 TL Marmelade,
50 g Vollkornnudeln,
Gemüsebrühe (Instant),
1 mittelgr. Apfel,
2 Orangen,
1 kleine Möhre,
1 mittelgr. Stange Porree (150 g),
½ Dose Sauerkraut (ca. 140 g),
Dill, Petersilie, Schnittlauch, Fenchelsamen, Rosenpaprika, Pfeffer, Salz, Zitrone

Nudel-Fischtopf

FRÜHSTÜCK
Orangen-Apfel-Müsli
Eine halbe Orange auspressen und mit einem halben Becher Magermilchjoghurt und zwei Eßlöffel Müsli mischen. Die zweite Orangenhälfte und einen halben Apfel kleinschneiden und unterheben.

EXTRA
Marmeladenknäcke
Ein Vollkornknäckebrot mit je einem Teelöffel Butter oder Margarine und Marmelade bestreichen.

WARME MAHLZEIT
Nudel-Fischtopf *(Foto)*
Eine Tasse Gemüsebrühe mit je einer Teelöffelspitze Fenchelsamen und Rosenpaprika aufkochen. Eine Stange Porree und eine Möhre fein würfeln und mit 50 Gramm Vollkornnudeln in der Brühe acht Minuten zugedeckt kochen. Inzwischen das Rotbarschfilet in Stücke schneiden, salzen und mit einer Zitronenscheibe für weitere drei bis vier Minuten in den Fischtopf geben. Gehackte Kräuter und einen Teelöffel Öl unterrühren. Mit Pfeffer kräftig abschmecken.

TIP: Statt Rotbarsch eignet sich auch Seelachsfilet.

EXTRA
Eine Orange

IMBISS
Sauerkraut-Apfel-Salat
Einen halben Apfel raspeln, Schnittlauch und Petersilie hacken und mit einer halben kleinen Dose Sauerkraut, drei Eßlöffel Gemüsebrühe, Pfeffer und einem Teelöffel Öl mischen. Den Salat etwas ziehen lassen und dann auf einer Scheibe Vollkornbrot anrichten.

VEGETARISCHER TIP: 150 g Tofu würfeln, mit Zitronensaft und Currypulver würzen und anstelle des Fischfilets erwärmen.

Samstag

ZUTATEN
(ca. 1000 Kalorien)

100 g Beefsteakhack,
¼ Ecke Schmelz-
käse (20 %),
1 TL Butter oder
Margarine,
2 TL Öl,
1 Roggenbrötchen,
2 Scheiben Vollkorn-
knäckebrot,
2 EL Müsli,
1 TL Honig,
1 ½ TL Marmelade,
7 EL Kartoffel-
püreeflocken
(mit Milch, 35 g),
2 TL Sonnen-
blumenkerne,
Gemüsebrühe
(Instant),
1 TL Senf,
1 Grapefruit,
1 Mandarine,
125 g Champignons,
100 g Feldsalat,
½ Fenchelknolle,
1 kleine Möhre,
1 kleine Tomate,
Dill, Liebstöckel,
Schnittlauch,
Pfeffer, Salz,
Zitrone

FRÜHSTÜCK
Roggenbrötchen

Eine Brötchenhälfte mit einem Teelöffel Butter oder Margarine und eineinhalb Teelöffel Marmelade, die zweite Hälfte mit einer viertel Ecke Schmelzkäse bestreichen. Mit Tomatenscheiben belegen und Pfeffer und gehackte Kräuter darüberstreuen.

EXTRA
Grapefruitmüsli

Das Fruchtfleisch aus einer halben Grapefruit auslösen und mit dem dabei entstehenden Saft und zwei Eßlöffel Müsli vermischen.

WARME MAHLZEIT
Frikadelle mit Kartoffelbrei (Foto)

Schnittlauch und Liebstöckel hacken. Mit zwei Teelöffel Sonnenblumenkernen, Salz, Pfeffer, etwas Zitronensaft und Zitronenschale und 100 Gramm Beefsteakhack vermischen. Ein oder zwei Frikadellen formen und in einem Teelöffel Öl auf jeder Seite eine Minute braten. Inzwischen eine Möhre sehr fein würfeln oder raspeln und mit einer randvoll gefüllten Tasse Salzwasser aufkochen. Sieben Eßlöffel Kartoffelpüree-Pulver einstreuen und umrühren. 50 Gramm geputzten Feldsalat auf einem Teller anrichten. Den Kartoffelbrei und die Frikadelle dazugeben. 100 Gramm kleingeschnittene Champignons mit drei Eßlöffel Gemüsebrühe in den Bratsud geben, aufkochen. Mit Zitronensaft, Salz und Pfeffer und einem Teelöffel Senf ver-

rühren und über den Feldsalat gießen. Nach Geschmack mit Kräutern bestreuen.

TIP: Kochen Sie die doppelte Menge Kartoffelbrei, die Hälfte gibt es morgen. Also: 14 Eßlöffel in zwei Tassen kochendes Salzwasser einrühren und eine Möhre zusätzlich hineinraspeln.

VEGETARISCHER TIP: Kräuter und Sonnenblumenkerne mit einem Ei und einem Eßlöffel Haferkleie vermengen, wie das Hack würzen (nur die Zitrone weglassen). In einem Teelöffel Öl braten.

EXTRA
Honigknäcke

Eine Scheibe Vollkornknäckebrot mit einem Teelöffel Honig bestreichen. Dazu gibt's eine Mandarine.

IMBISS
Grapefruit-Fenchel-Salat

Eine halbe Grapefruit schälen, in Stücke teilen und den Saft auffangen. Vier Champignons (25 g) und eine halbe Fenchelknolle in dünne Scheiben schneiden. Alles mit 50 Gramm Feldsalat, einem Teelöffel Öl, Salz, Pfeffer, Dill und Schnittlauch mischen. Dazu gibt es eine Scheibe Vollkornknäckebrot.

Frikadelle
mit Kartoffelbrei

Sonntag

ZUTATEN

(ca. 1000 Kalorien)

100 g Rinderfilet,
½ Becher Mager-
milchjoghurt,
¼ Ecke Schmelz-
käse (20 %),
1 TL Butter oder
Margarine,
2 TL Öl,
1 Roggenbrötchen,
2 Vollkornzwiebäcke,
2 EL Müsli,
1 TL Marmelade,
7 EL Kartoffel-
püreeflocken
(mit Milch, 35 g),
50 g Vollkornnudeln,
Gemüsebrühe
(Instant),
1 TL Senf,
150 g TK-Himbeeren,
1 Portion Blattsalat,
1 Lauchzwiebel,
2 kleine Möhren,
1 mittelgr. rote
Paprikaschote,
2 kleine Tomaten,
Basilikum,
Cayennepfeffer,
Koriander, Pfeffer,
Salz, Streuwürze,
Zitrone

FRÜHSTÜCK
Roggenbrötchen

Eine Brötchenhälfte mit einem Teelöffel Senf und einer viertel Ecke Schmelzkäse bestreichen und Basilikumblätter darüberstreuen. Auf die andere Hälfte kommt je ein Teelöffel Butter oder Margarine und Marmelade.

EXTRA
Himbeerzwieback

Von 100 Gramm aufgetauten Himbeeren einige zerdrücken, auf zwei Vollkornzwiebäcke geben und etwas einziehen lassen. Die restlichen Früchte auf den Zwiebäcken verteilen.

TIP: Die Himbeeren schmecken besonders lecker, wenn sie ein wenig erwärmt werden.

WARME MAHLZEIT
Rinderfilet mit Gemüse (Foto)

50 Gramm Vollkornnudeln in Salzwasser bißfest kochen. Je eine rote Paprikaschote, Lauchzwiebel, Tomate und Möhre kleinschneiden und mit ein bis zwei Eßlöffel Gemüsebrühe in einen Topf geben. Mit Salz, Cayennepfeffer und einer Messerspitze Koriander würzen und etwa fünf Minuten zugedeckt garen. 100 Gramm Rinderfilet bei starker Hitze von jeder

Seite eine bis zwei Minuten in einem Teelöffel Öl braten, Salz und Pfeffer darüberstreuen. Drei Eßlöffel Gemüsesud aus dem Topf in die Pfanne gießen, die Nudeln darin schwenken und zum Filet und Gemüse auf den Teller geben.

TIP: Kochen Sie statt 50 gleich 150 Gramm Nudeln, außerdem die doppelte Gemüsemenge, und braten Sie insgesamt 175 Gramm Rinderfilet. Das zusätzliche Fleisch und Paprikagemüse brauchen Sie morgen, die Nudeln morgen und übermorgen.

VEGETARISCHER TIP: Eine Ecke Schmelzkäse (20 %) und einen Eßlöffel Magerquark mit der Gabel zerdrücken und in einer Pfanne mit dem abgegossenen Gemüsesud erhitzen. Wie angegeben würzen und einen Teelöffel Öl unterrühren. Nicht mehr kochen. Die Käsesoße mit dem Gemüse und den Nudeln vermischen.

EXTRA
Joghurtmüsli mit Himbeeren

50 Gramm aufgetaute Himbeeren zerdrücken und mit einem halben Becher Magermilchjoghurt und zwei Eßlöffel Müsli mischen.

IMBISS
Kartoffelbrei auf Salat

Den Kartoffelbrei von gestern (sieben Eßlöffel Püreeflocken, eine gewürfelte Möhre und Wasser) in einem Teelöffel Öl braten. Eine Portion Blattsalat mit einer Soße aus Zitronensaft, etwas Gemüsebrühe, Kräutern und Streuwürze dazu essen.

Rinderfilet mit Gemüse

Montag

ZUTATEN
(ca. 1000 Kalorien)

75 g gebratenes
Rinderfilet,
½ Becher Mager-
milchjoghurt,
1 TL Parmesankäse,
2 EL körniger Frisch-
käse (60 g),
2 TL Crème fraîche,
2 TL Öl,
1 Scheibe Vollkorn-
brot,
2 EL Müsli,
½ TL Honig,
Kaffeepulver
(Instant),
125 g gekochte
Vollkornnudeln
(50 g Rohgewicht),
Gemüsebrühe
(Instant),
1 TL Kapern,
1 kleine Banane,
1 mittelgr. Birne,
100 g TK-Himbeeren,
1 Portion Blattsalat,
½ Fenchel,
1 Lauchzwiebel,
2 kleine Möhren,
1 mittelgroße rote
Paprikaschote,
1 kleine Tomate,
Basilikum,
Cayennepfeffer,
Koriander, Pfeffer,
Salz, Zitrone

FRÜHSTÜCK
Himbeer-Birnen-Müsli
100 Gramm aufgetaute Tiefkühl-Himbeeren, zwei Eßlöffel Müsli, einen halben Becher Magermilchjoghurt und eine kleingeschnittene Birne mischen.

EXTRA
Mokkakäse
Zwei Eßlöffel körnigen Frischkäse mit zwei Teelöffel Crème fraîche, einem halben Teelöffel Honig und Kaffeepulver verrühren.

WARME MAHLZEIT
Nudeln mit Fenchel und Rindfleisch (Foto)
Einen halben Fenchel und eine Möhre vierteln. Eine halbe Tasse Gemüsebrühe in eine Pfanne gießen, mit Zitronenschale und Pfeffer würzen. Das Gemüse darin zugedeckt etwa fünf bis sieben Minuten dünsten, bis es gar ist. Inzwischen 75 Gramm gebratenes Rindfleisch in dünne Scheiben schneiden. Die Hälfte der gestern vorgekochten Nudeln (50 g Rohgewicht), je einen Teelöffel Öl und Kapern, das Rindfleisch und die Basilikumblätter zum Gemüse rühren und erhitzen. Alles auf einer Portion Blattsalat anrichten und mit einem Teelöffel Parmesankäse bestreuen.

EXTRA
Eine Banane

IMBISS
Vollkornbrot mit Paprika
Eine Scheibe Vollkornbrot mit Basilikumblättern belegen. Das gestern zusätzlich gekochte Paprikagemüse (je eine rote Paprikaschote, Lauch-

Nudeln mit Fenchel und Rindfleisch

zwiebel, Tomate, Möhre, gewürzt mit Salz, Cayennepfeffer und Koriander) mit einem Teelöffel Öl verrühren und auf dem Brot verteilen.

TIP: Gut schmeckt das Paprikabrot auch, wenn das Gemüse erwärmt wird.

VEGETARISCHER TIP: So ersetzen Sie das Rindfleisch: Das Gemüse garen, herausnehmen und warm stellen. In den Sud 100 Gramm Magerquark oder 50 Gramm Lopino, zerdrückt, und zusätzlich einen halben Teelöffel Öl einrühren. Alles mit den Nudeln erhitzen und kräftig nachwürzen. Nicht mehr kochen.

Dienstag

ZUTATEN
(ca. 1000 Kalorien)

½ Becher
Magermilchjoghurt,
½ Ecke Schmelz-
käse (20%),
2 EL körniger Frisch-
käse (60 g),
1 TL Crème fraîche,
2 TL Öl,
1 Roggenbrötchen,
1 Scheibe Vollkorn-
knäckebrot,
2 EL Müsli,
125 g gekochte
Vollkornnudeln
(50 g Rohgewicht),
1 EL Kürbiskerne,
40 g Linsen,
Gemüsebrühe
(Instant), Essig,
100 g Chicorée,
100 g Salatgurke,
3 mittelgroße
Kartoffeln,
1 Lauchzwiebel,
2 kleine Tomaten,
1 Zucchini (150 g),
½ Zwiebel,
Kresse, Petersilie,
Schnittlauch,
Cayennepfeffer,
Estragon (getrock-
net oder frisch),
1 Gewürznelke,
1 Lorbeerblatt,
Pfeffer, Salz,
Streuwürze,
Zitrone

FRÜHSTÜCK
Käsebrötchen

Ein Roggenbrötchen mit einem Teelöffel Crème fraîche und einer halben Ecke Schmelzkäse bestreichen, mit den Scheiben einer Tomate belegen und einen Eßlöffel Kürbiskerne und Kresse darüberstreuen.

EXTRA
Kräuterbrot

Einen Eßlöffel körnigen Frischkäse mit einem Teelöffel Öl mischen, auf ein Knäckebrot streichen und mit Kräutern und Streuwürze bestreuen.

WARME MAHLZEIT
Linsengemüse und Kartoffeln (Foto)

Drei Kartoffeln in Salzwasser garen. Vier Eßlöffel Linsen (40 g) und eine Lauchzwiebel in einer halben Tasse Wasser mit einem Lorbeerblatt und einer Gewürznelke 15 Minuten kochen. Salzen. Eine der Länge nach halbierte Zucchini auf die Linsen legen und weitere zehn Minuten garen. Inzwischen einen halben Becher Magermilchjoghurt mit Cayennepfeffer, Zitronensaft, Schnittlauch und einem Teelöffel Öl verrühren. 100 Gramm Chicorée kleinschneiden, mit Zitrone beträufeln und mit dem Gemüse und den Kartoffeln auf den Teller geben oder auf einem Extra-Teller dazureichen. Petersilie darüberstreuen. Dazu gibt es die Joghurtsoße.

TIP: Kochen Sie heute neun Kartoffeln und die doppelte Menge Linsen (80 g) in einer Tasse Wasser. Die Kartoffeln sind für morgen und übermorgen, die Linsen gibt es morgen abend.

EXTRA
Zitronenmüsli

Zwei Eßlöffel Müsli mit Zitronensaft, einem Eßlöffel Mineralwasser und einem Eßlöffel körnigem Frischkäse verrühren.

IMBISS
Nudelsalat mit Gurke

Eine halbe Zwiebel würfeln und in knapp einer halben Tasse Gemüsebrühe, gewürzt mit Pfeffer, einem Teelöffel Essig und etwas Estragon, zwei Minuten kochen. Ein dickes Stück Gurke (100 g) und eine Tomate kleinschneiden. Marinade und Gemüse mit 125 Gramm gekochten Vollkornnudeln (50 g Rohgewicht) mischen. Mit frischen gehackten Kräutern bestreuen.

Linsengemüse
und Kartoffeln

Mittwoch

ZUTATEN
(ca. 1000 Kalorien)

3 Scheiben Lachs-
schinken (ohne
Fettrand, 60 g),
80 g körniger
Frischkäse,
3 TL Öl,
½ Scheibe Vollkorn-
knäckebrot,
1 Vollkornzwieback,
2 EL Müsli,
1 ½ TL Honig,
1 TL Sesamsamen,
80 g gekochte Linsen
(40 g Rohgewicht),
2 TL Senf,
1 mittelgr. Apfel,
1 Grapefruit,
100 g Chicorée,
200 g Salatgurke,
3 mittelgr. gekochte
Kartoffeln,
½ Zwiebel,
Ingwer (frisch oder
gemahlen),
Kresse, Petersilie,
Schnittlauch,
Cayennepfeffer,
Majoran (getrock-
net oder frisch),
Pfeffer, Salz,
Zitrone

FRÜHSTÜCK
Grapefruitmüsli
Das Fruchtfleisch aus einer Grapefruit lösen. Einen halben Apfel raspeln und alles mit zwei Eßlöffel Müsli mischen.

EXTRA
Honig-Zwieback
Einen Vollkornzwieback mit einem Teelöffel Honig dünn bestreichen und mit einem Teelöffel Sesamsamen bestreuen.

WARME MAHLZEIT
Majorankartoffeln mit Lachsschinken *(Foto)*
Drei gekochte Kartoffeln und eine halbe Zwiebel würfeln. In einem Teelöffel Öl braten und mit Salz, Pfeffer und Majoran würzen. Für den Salat 100 Gramm Chicorée, einen halben Apfel und ein kleines Stück Gurke (100 g) kleinschneiden. Eine Soße aus zwei Teelöffel Senf, einem Teelöffel Öl, Salz, Cayennepfeffer, ein wenig Zitrone und viel Schnittlauch anrühren und über die Gemüse-Apfel-Würfel geben. Salat und Majorankartoffeln mit drei Scheiben Lachsschinken auf einem Teller anrichten.

EXTRA
Frischkäse mit Ingwer
Die restlichen 80 Gramm Frischkäse mit einem halben Teelöffel Honig, Zitronensaft und Zitronenschale und mit etwas Ingwer verrühren.

IMBISS
Linsensalat
Die gestern zusätzlich gekochten Linsen (40 g Rohgewicht) mit einem Teelöffel Öl, Zitronensaft, Salz, Pfeffer, einem Stück geraspelter Gurke (100 g)

und viel gehackter Petersilie, Schnittlauch und Kresse mischen. Dazu gibt es eine halbe Scheibe Knäckebrot.

VEGETARISCHER TIP: Für die warme Mahlzeit die Salatsoße zusätzlich mit einem Becher Magermilchjoghurt und einem Teelöffel Sesamsamen verrühren. Das ersetzt den Lachsschinken.

Majorankartoffeln mit Lachsschinken

Donnerstag

ZUTATEN
(ca. 1000 Kalorien)

75 g Beefsteakhack,
2 Scheiben Lachs-
schinken (ohne Fett-
rand, 40 g),
7 EL Dickmilch,
1 TL Butter oder
Margarine,
1 TL Öl,
1 Scheibe Voll-
kornbrot,
½ Scheibe Voll-
kornknäckebrot,
2 EL Müsli,
½ TL Honig,
50 g Gerstengraupen,
1 EL Haferkleie,
Gemüsebrühe
(Instant),
Sojasoße,
1 TL Tomatenmark,
1 Kiwi,
2 kl. Mandarinen,
150 g Brokkoli,
100 g Salatgurke,
3 gekochte
Kartoffeln,
2 kleine Möhren,
1 Zwiebel,
Dill, Liebstöckel,
Petersilie (glatt),
Schnittlauch,
Cayennepfeffer,
Curry, Knoblauch,
Rosenpaprika, Salz,
Zimt, Zitrone

FRÜHSTÜCK
Schinkenbrot
Eine Scheibe Vollkornbrot mit einem Teelöffel Tomatenmark bestreichen, mit Petersilie und einer Scheibe Lachsschinken belegen. Zusätzlich gibt es eine halbe Scheibe Vollkornknäckebrot, mit einem Teelöffel Butter oder Margarine bestrichen und mit frischen Kräutern bestreut.

EXTRA
Obst
Zwei Mandarinen und eine Kiwi.

WARME MAHLZEIT
Curry-Gerste mit Hackklößchen (Foto)
50 Gramm Gerstengraupen, eine gehackte Zwiebel, eine Messerspitze Curry und einen Achtelliter Gemüsebrühe aufkochen und 20 Minuten auf kleiner Wärmestufe quellen lassen. Zwei Möhren und 150 Gramm Brokkoli in wenig Salzwasser 15 bis 20 Minuten garen. 75 Gramm Beefsteakhack mit einem Eßlöffel Haferkleie, Liebstöckel, gehackter glatter Petersilie, Paprikapulver und Salz verkneten, kleine Klößchen formen und die letzten fünf Minuten auf dem Gemüse garen. (Lassen Sie die Klößchen nicht zu lange kochen, sie werden sonst trocken.) Knoblauch hacken, mit einer halben Tasse Gemüsewasser (vom Brokkoli) und etwas Zitronensaft und Zitronenschale in einer Pfanne aufkochen. Flüssigkeit bis auf zwei Eßlöffel verdampfen lassen. Einen Teelöffel Öl und das Gemüse in die Pfanne geben und darin schwenken. Herausnehmen und mit der Gerste und den Klößchen anrichten. Üppig mit frischen Kräutern bestreuen.

TIP: Kochen Sie gleich die doppelte Menge Gerstengraupen, also 100 Gramm, mit zwei gehackten Zwiebeln, einem halben Teelöffel Curry in einem Viertelliter Gemüsebrühe und außerdem 300 Gramm Brokkoli. Die Graupen brauchen Sie Samstag, das zusätzliche Gemüse morgen abend.

EXTRA
Zimtmüsli
Zwei Eßlöffel Müsli mit sieben Eßlöffeln Dickmilch und einem halben Teelöffel Honig verrühren und mit Zimt bestreuen.

IMBISS
Kartoffelsalat mit Lachsschinken
Zwei Eßlöffel Gemüsebrühe mit Zitronensaft, Sojasoße und Cayennepfeffer mischen. Drei gekochte Kartoffeln (vom Dienstag) und ein dickes Stück Gurke (etwa 100 g) kleinschneiden, mit der Soße übergießen. Schnittlauch, Dill, Petersilie und eine Scheibe Lachsschinken hacken, darüberstreuen.

VEGETARISCHER TIP: Morgens den Schinken durch eine halbe Scheibe Käse (30 %) ersetzen. Statt Beefsteakhack Haferkleie und Gewürze mit 100 g Magerquark und einem halben Teelöffel Öl verrühren. Kräftig abschmecken. Für den Imbiß die Salatsoße statt mit Brühe mit einem halben Becher Magermilchjoghurt anrühren.

*Curry-Gerste
mit Hackklößchen*

Freitag

ZUTATEN
(ca. 1000 Kalorien)

125 g Lengfisch,
7 EL Dickmilch
(1,5 %, etwa 105 g),
1 TL Butter oder
Margarine,
2 ½ TL Öl,
1 Scheibe Voll-
kornbrot,
1 Scheibe Voll-
kornknäckebrot,
2 EL Müsli,
7 EL Kartoffel-
püreeflocken
(mit Milch, 35 g),
2 TL Sesamsamen,
2 EL Kapern,
1 TL Senf,
2 TL Tomatenmark,
1 mittelgr. Apfel,
2 kleine Bananen,
150 g gekochter
Brokkoli,
150 g Chinakohl,
100 g Salatgurke,
2 kleine Tomaten,
1 Zwiebel,
Petersilie, Ingwer,
Knoblauch,
1 Lorbeerblatt,
Pfeffer, Salz,
Streuwürze,
Zitrone

FRÜHSTÜCK
Ingwermüsli
Sieben Eßlöffel Dickmilch mit zwei Eßlöffel Müsli und etwas gemahlenem oder frisch geriebenem Ingwer verrühren. Eine Banane mit der Gabel zerdrücken und unterheben.

EXTRA
Knäckebrot mit Apfel
Eine Scheibe Vollkornknäckebrot mit einem Teelöffel Butter oder Margarine bestreichen. Einen halben Apfel in dünne Scheiben schneiden, auf das Knäckebrot legen, mit Zitrone beträufeln und mit einem Teelöffel Sesamsamen bestreuen.

WARME MAHLZEIT
Lengfisch auf Chinakohl (Foto)
125 Gramm Lengfisch mit Salz, Pfeffer und geriebener Zitronenschale bestreuen. Eine Zwiebel, die restliche Gurke (100 g), 150 Gramm Chinakohl und einen halben Apfel kleinschneiden und im heißen Topf dünsten. Mit Streuwürze und einem Lorbeerblatt würzen, den Fisch aufs

Gemüse setzen und zugedeckt etwa acht Minuten bei mittlerer Hitze garen. Inzwischen eine gut gefüllte Tasse Salzwasser in einen Topf gießen, aufkochen und mit Petersilie und sieben Eßlöffel Kartoffelpüreeflocken einen Kartoffelbrei rühren. Zwei Eßlöffel Kapern hacken. Fisch, Gemüse und Kartoffelbrei auf einen Teller geben.
Den Sud bis auf zwei Teelöffel Flüssigkeit einkochen, mit Kapern, einem Teelöffel Senf und 1 ½ Teelöffel Öl mischen und über den Fisch geben.

TIP: Sie können auch Seelachsfilet nehmen.

EXTRA
Sesambanane
Eine Banane in wenig Zitronensaft dünsten und mit einem Teelöffel Sesamsamen bestreuen.

IMBISS
Brokkolisalat
Zwei Teelöffel Tomatenmark auf eine Scheibe Vollkornbrot streichen und mit Kräuterblättern belegen. Dazu gibt es einen Salat: 150 Gramm gekochten Brokkoli und zwei Tomaten kleinschneiden, mit einem Teelöffel Öl, Zitrone, etwas Knoblauch, Salz und Pfeffer mischen und ziehen lassen.

Lengfisch
auf Chinakohl

Samstag

ZUTATEN
(ca. 1000 Kalorien)

290 g Dickmilch
(1,5 %),
1 Becher Mager-
milchjoghurt,
1 Ei, 1 TL Öl,
1 Scheibe Voll-
kornbrot,
2 EL Müsli,
1 TL Honig,
1 TL Marmelade,
5 EL Kartoffel-
püreeflocken
(mit Milch, 25 g),
115 g gekochte
Gerstengraupen
(50 g Rohgewicht),
1 TL Sesamsamen,
Gemüsebrühe
(Instant), Sojasoße,
1 mittelgr. Apfel,
1 Kiwi,
100 g Champignons,
150 g Chinakohl,
1 Bund Radieschen,
1 Zwiebel, Petersilie,
Schnittlauch, Curry,
Knoblauch,
Pfeffer, Salz, Zimt,
Zitrone

Curry-Plinsen

FRÜHSTÜCK
Marmeladenbrot mit Kiwi
Eine Scheibe Vollkornbrot mit einem Teelöffel Marmelade bestreichen. Dazu gibt's eine Kiwi.

EXTRA
Honig-Joghurt
Einen Becher Magermilchjoghurt mit einem Teelöffel Honig und etwas Zitrone verrühren.

WARME MAHLZEIT
Curry-Plinsen (Foto)
115 Gramm gekochte Gerstengraupen (vom Donnerstag: 50 g Rohgewicht, mit einer Zwiebel und einer Messerspitze Curry in einem Achtelliter Gemüsebrühe gegart) mit einem Ei und Petersilie mischen und mit Curry und Salz nachwürzen. Mit einem Eßlöffel kleine Plinsen in eine Pfanne geben, flachdrücken und in einem Teelöffel Öl auf mittlerer Wärmestufe langsam braten. Neun Eßlöffel Dickmilch (ca. 135 g) mit geriebener Zitronenschale, gehacktem Knoblauch und Salz zu einer Soße verrühren. 150 g Chinakohl in feine Streifen schneiden, einen halben Apfel raspeln, mit Zitronensaft und einem Eßlöffel Gemüsebrühe mischen. Soße, Plinsen und Gemüse auf einen Teller geben.

EXTRA
Zimtmüsli
Sieben Eßlöffel Dickmilch (ca. 105 g) mit zwei Eßlöffel Müsli mischen und mit Zimt bestreuen.

IMBISS
Champignon-Kartoffelbrei mit Zitronensoße
100 Gramm Champignons kleinschneiden und in einer knappen Tasse Wasser mit etwas Gemüsebrühe und Pfeffer aufkochen.
Fünf Eßlöffel Kartoffelpüreeflocken und etwas gehackte Petersilie einstreuen. Die restliche Dickmilch (drei Eßlöffel) mit Zitronensaft und Salz verrühren und mit dem Kartoffelbrei auf einen Teller geben. Dazu gibt es einen Salat: einen halben Apfel und ein Bund Radieschen raspeln, mit Zitronensaft, Sojasoße, einem Teelöffel Sesamsamen und Schnittlauch mischen.

Das „BRIGITTE-Müsli"

Vier-Korn-Flocken und Kürbiskerne in
einer trockenen Pfanne nacheinander
rösten.

Kürbiskerne und Aprikosen grob hak-
ken und mit den restlichen Zutaten in
einer Schüssel vermengen. Abkühlen
lassen und in eine gut verschließbare
Dose füllen. Kühl und trocken lagern.
Diese Mischung ergibt 28 gestrichene (!)
Eßlöffel oder 242 Gramm Müsli. Ein
gestrichener Eßlöffel sind 8–9 Gramm.
TIP: Durch den hohen Anteil an Haferkleie ist das BRIGITTE-Müsli besonders verdauungsfreundlich. Wenn man
es vor dem Essen etwas quellen läßt, ist
es noch bekömmlicher.

**ZUTATEN
FÜR 14 TAGE:**

10 EL Vier-Korn-
Flocken (75 g),
7-8 Aprikosen,
getrocknet und
ungeschwefelt
(50-60 g),
4 EL Kürbiskerne
(32 g),
10 EL Haferkleie mit
Keim (75 g),
abgeriebene Schale
von je einer Orange
und Zitrone

*Das sollten Sie
im Hause haben:*

Einkaufsliste für die frischen Zutaten

Aprikosen (getrocknet)

Bohnenkraut (getrocknet)

Butter oder Margarine

Cayennepfeffer

Crème fraîche

Curry

Essig, Estragon

Fenchelsamen

Gemüsebrühe (Instant)

Gewürznelken

Gerstengraupen

Haferkleie (mit Keim)

Honig, Ingwer
(gemahlen oder frisch)

Kaffeepulver (Instant)

Kapern

Kartoffelpüreeflocken
mit Milch (Instant)

Knoblauch, Koriander

Kräuter (möglichst frisch):
Basilikum, Bohnenkraut,
Dill, Estragon, Kresse, Lieb-
stöckel, Majoran, Petersilie
(glatt und kraus), Rosmarin,
Schnittlauch.

Kräutertee, Kürbiskerne

Kumin, Linsen

Lorbeerblatt, Majoran

Marmelade (ohne
Zuckerzusatz)

Mineralwasser, Naturreis

Öl – zum Kochen

Öl – kaltgepreßt, für Salate

Edelsüß- und Rosenpaprika

Parmesankäse

Pfeffer (schwarz)

Rosmarin (getrocknet)

Salz, Senf

Sesamsamen

Sojasoße

Sonnenblumenkerne

Streuwürze

Tomatenmark

Vier-Korn-Flocken

Vollkornknäckebrot,
-nudeln, -zwieback

Zimt, Zwiebeln

Zitronen (unbehandelt)

FISCH UND FLEISCH

Beefsteakhack (Gramm)
Gekochter Schinken (1 Scheibe, 20 g)
Hähnchenkeule (1 Stück, ca. 125 g)
Lachsschinken (1 Scheibe, 20 g)
Rinderfilet (Gramm)
Lengfischfilet (Gramm)
Rotbarschfilet (Gramm)

BROT, MILCH UND EIER

Eier (1 Stück, Gewichtsklasse M)
Buttermilch (½ l, 500 g)
Dickmilch (1 Becher, 500 g, 1,5 %)
Magermilchjoghurt (1 Becher, 150 g)
Magerquark (1 Paket, 250 g)
Körniger Frischkäse (1 Becher, 200 g)
Schmelzkäse (1 Ecke, 62 g, 20 %)
Schnittkäse (1 Scheibe, 20 g, 30 %)
Roggenbrötchen (1 Stück, 40 g)
Vollkornbrot (1 Scheibe, 50 g)

OBST UND GEMÜSE

Apfel (mittelgroß, 100 g)
Banane (klein, 100 g)
Birne (mittelgroß, 175 g)
Grapefruit (1 Stück, 300 g)
Himbeeren (TK-Paket, 250 g)
Kiwi (1 Stück, 100 g)
Mandarine (klein, 50 g)
Orange (unbehandelt, groß, 200 g)
Aubergine (1 Stück, 200 g)
Blattsalat (1 Portion, 50–100 g)
Bohnen, grüne (TK-Paket, 300 g)
Brokkoli (Gramm)
Champignons (Gramm)
Chinakohl (klein, 300 g)
Chicorée (Gramm)
Feldsalat (Gramm)
Fenchel (mittelgroß, 200 g)
Kartoffeln (mittelgroß, 75 g)
Lauchzwiebeln (mittelgroß)
Möhren (klein, 50 g)
Paprikaschote (mittelgroß, 150 g)
Porree (1 Stange, 150 g)
Radieschen (1 Bund)
Salatgurke (mittelgroß, 500 g)
Sauerkraut (kl. Dose, 280 g)
Tomate (klein, 50 g)
Zucchini (klein, 150 g)

So	Mo	Di	Mi	Do	Fr	Sa	So	Mo	Di	Mi	Do	Fr	Sa
						100					75		
		3		2									
1													
										3	2		
							100	75					
												125	
					125								
1													1
	250	250											
	210	105	185								105	105	290
				1	1/2		1/2	1/2	1/2				1
			125	125									
								60	60	80			
						1/4	1/4		1/2				
	2	1	2										
						1	1		1				
1	1	1	1	1	1			1			1	1	1
2			1		1					1		1	1
			1					1			2		
	1			2				1					
						1				1			
							150	100					
1											1		1
		1		1		1					2		
1/2	1/2				2								
	1												
2							1	1					
		150	150										
											150	150	
						125						100	
											150		150
									100	100			
						100							
						1/2		1/2					
		3	3	5					3	3	3		
				1			1	1	1				
2	1		2	1	1	1	2	2			2		
							1	1					
					1								
		1/2	1/2										1
									100	200	100	100	
				1/2	1/2								
4	1	1	2	1		1	2	1	2			2	
									1				

Sonntag

ZUTATEN
(ca. 1000 Kalorien)

1 Hähnchenbrust-
filet,
1 Becher Mager-
milchjoghurt,
1/3 Ecke Schmelz-
käse (20 %),
2 TL Butter oder
Margarine,
2 TL Öl,
1 Roggenbrötchen,
2 EL Müsli,
1 TL Marmelade,
Gemüsebrühe
(Instant),
Essig,
1 TL Senf,
3 TL Tomatenmark,
150 g TK-Heidel-
beeren,
1 Portion Blattsalat,
5 mittelgroße
Kartoffeln,
1 kleine Möhre,
200 g Spargel (oder
Schwarzwurzeln),
1 kleine Tomate,
Basilikum,
Petersilie,
Schnittlauch, Curry,
Pfeffer, Salz,
Zitrone

FRÜHSTÜCK
Roggenbrötchen
Eine Brötchenhälfte mit je einem Teelöffel Butter oder Margarine und Marmelade bestreichen. Auf die zweite Hälfte kommen eine drittel Ecke Schmelzkäse und frische Kräuter. Dazu gibt es eine Tomate.

EXTRA
Heidelbeeren
Heidelbeeren auftauen (davon etwa 25 g für heute nachmittag aufheben).

WARME MAHLZEIT
Gefülltes Hähnchenfilet
Drei Kartoffeln in Salzwasser garen. 200 Gramm Spargel schälen, klein-schneiden und in einer knappen Tasse Gemüsebrühe 10 Minuten kochen. Für die letzten fünf Minuten eine gewürfelte Möhre hinzufügen. In der Zwischenzeit ein Hähnchenfilet seitlich einschneiden, Tasche mit einem Teelöffel Tomatenmark und Basili-kumblättern füllen. Mit Salz und Pfeffer würzen und in einem Teelöffel Öl auf jeder Seite drei Minuten braten. Fleisch, Gemüse und Kartoffeln auf einen Teller geben und warmstellen. Den Spargelsud mit einem Teelöffel Essig in die Pfanne gießen, bis auf zwei Eßlöffel einkochen. Gehackte Kräuter (Petersilie, Schnittlauch) und je einen Teelöffel Butter oder Marga-rine und Senf einrühren. Soße über Fleisch und Gemüse geben (Foto).

TIP: Kochen Sie gleich acht Kartoffeln und 400 Gramm Spargel (oder Schwarz-wurzeln) in einer knappen Tasse Gemü-sebrühe mit zwei Möhren. Sie brauchen die zusätzlichen Kartoffeln und das Gemüse heute und übermorgen.

*Gefülltes
Hähnchenfilet*

VEGETARISCHER TIP: Statt Fleisch 100 g Tofu in etwas Zi-tronensaft und Sojasoße marinieren und, wie für das Hähnchenbrustfilet beschrieben, in Öl braten. Pfanne vom Herd nehmen. Tofu mit Tomaten-mark bestreichen. Drei Eßlöffel Ma-germilchjoghurt mit Salz, Pfeffer, ei-ner Messerspitze Mehl und gehack-ten Basilikumblättern verrühren und in der etwas abgekühlten Pfanne er-wärmen. Aber nicht mehr kochen, da die Soße sonst ausflockt.

EXTRA
Heidelbeermüsli
Einen halben Becher Magermilch-joghurt mit zwei Eßlöffel Müsli und zwei Eßlöffel aufgetauten Heidelbee-ren (25 g) mischen.

IMBISS
Tomaten-Kartoffeln
Einen halben Becher Magermilchjo-ghurt mit einem Teelöffel Öl, Zitro-nensaft, Schnittlauch, Petersilie, Cur-rypulver und Salz verrühren. Mit ei-ner Portion Blattsalat mischen. Zwei gekochte Kartoffeln halbieren, mit zwei Teelöffel Tomatenmark bestrei-chen, mit Salz und Pfeffer bestreuen und zum Salat essen.

Montag

ZUTATEN
(ca. 1000 Kalorien)

100 g mageres
Schweineschnitzel,
2/3 Ecke Schmelz-
käse (20 %),
1 TL Butter oder
Margarine,
1 ½ TL Öl,
1 Scheibe Vollkorn-
brot,
2 Scheiben Vollkorn-
knäckebrot,
2 EL Müsli,
1 TL Marmelade,
3 EL Naturreis (45 g),
1 TL Sonnenblumen-
kerne,
Gemüsebrühe
(Instant),
1 TL Kapern,
1 kleine Banane,
2 mittelgr. Birnen,
2 kl. Mandarinen,
200 g Chicorée,
½ Fenchelknolle,
Basilikum,
Schnittlauch,
Curry, Pfeffer, Salz,
Zitrone

FRÜHSTÜCK
Knäckebrote

Eine Scheibe Vollkornknäckebrot mit je einem Teelöffel Butter oder Margarine und Marmelade bestreichen. Auf dem zweiten Knäckebrot eine drittel Ecke Schmelzkäse verteilen, Basilikum und einen Teelöffel Sonnenblumenkerne darüberstreuen.

EXTRA
Zwei Birnen

WARME MAHLZEIT
Curryschnitzel (Foto)

Drei Eßlöffel Naturreis in der dreifachen Menge Salzwasser aufkochen und 30 bis 40 Minuten auf niedrigster Wärmestufe quellen lassen. In den letzten fünf Minuten eine Banane auf dem Reis erwärmen. 100 Gramm dünn geschnittenes Schweineschnitzel flachklopfen, salzen und in der heißen Pfanne ohne Fett auf jeder Seite etwa drei bis vier Minuten braten. Das Schnitzel mit einem halben Teelöffel Öl bestreichen und warmstellen. Für die Soße erst Currypulver, dann etwa eine halbe Tasse Gemüsebrühe in die Pfanne rühren. Zitronensaft und etwas geriebene Zitronenschale hineingeben, einkochen lassen. 200 Gramm Chicorée längs aufschneiden. Die Soße über Fleisch und Chicorée geben. Banane und Reis zu dem Schnitzel auf den Teller legen und mit Schnittlauch bestreuen.

TIP: Kochen Sie heute bereits neun Eßlöffel Reis. Sie brauchen ihn Mittwoch und Donnerstag.

VEGETARISCHER TIP: So ersetzen Sie das Schnitzel: Currypulver, Brühe, Zitronensaft und Zitronenschale in einer Pfanne bis auf einen Eßlöffel Flüssigkeit einkochen. Pfanne etwas abkühlen lassen, sonst verändert sich die Konsistenz der Milchprodukte. 100 Gramm körnigen Frischkäse und einen Eßlöffel Magerquark dazurühren, kurz erwärmen, aber nicht kochen. Aufgeschnittene Chicoréestaude mit Salz und Zitronensaft würzen. Auf einem Teller anrichten, Currykäse dazugeben und mit Schnittlauch bestreuen.

EXTRA
Mandarinenmüsli

Zwei Eßlöffel Müsli mit zwei Eßlöffel Wasser und dem Saft einer Mandarine mischen. Eine kleingeschnittene Mandarine unterheben.

IMBISS
Käsebrot mit Fenchelsalat

Eine Scheibe Vollkornbrot mit einer drittel Ecke Schmelzkäse bestreichen und mit Schnittlauch und Pfeffer würzen. Eine halbe Fenchelknolle raspeln, mit Zitronensaft und einem Teelöffel Öl beträufeln und mit Salz, etwas geriebener Zitronenschale und einem Teelöffel gehackten Kapern mischen.

Curryschnitzel

Dienstag

ZUTATEN
(ca. 1000 Kalorien)

1 Becher Mager-
milchjoghurt,
5 EL körniger
Frischkäse (150 g),
2 TL Öl,
1 Scheibe Vollkorn-
brot,
2 EL Müsli,
½ TL Honig,
1 EL Kürbiskerne,
1 TL Sesamsamen,
Sojasoße,
1 mittelgr. Apfel,
100 g TK-Heidel-
beeren, 1 Kiwi,
1 kleine Mandarine,
1 Orange,
1 Portion Blattsalat,
3 gekochte mittel-
große Kartoffeln,
1 kl. gekochte Möhre,
1 mittelgroße
Paprikaschote,
200 g gekochter
Spargel (oder
Schwarzwurzeln),
Kresse, Schnittlauch,
Thymian,
Cayennepfeffer,
Pfeffer, Salz,
Zitrone

FRÜHSTÜCK
Heidelbeermüsli
100 Gramm tiefgekühlte Heidelbeeren auftauen und mit je zwei Eßlöffel
Müsli und körnigem Frischkäse (60 g)
mischen.

EXTRA
Eine Orange

WARME MAHLZEIT
Röstkartoffeln
mit Frischkäse-Salat (Foto)
Drei gekochte Kartoffeln vierteln und
in einem Teelöffel Öl braten. Mit Salz,
Pfeffer und Thymianblättern würzen.
Eine Paprikaschote und einen halben
Apfel würfeln und mit Salz, Pfeffer,
Zitronensaft, Schnittlauch und 3 Eß-
löffel körnigem Frischkäse mischen.
Die Frischkäsemischung auf einer Por-
tion Salat mit den Kartoffeln anrich-
ten. Kürbiskerne darüberstreuen.

EXTRA
Fruchtsalat
Einen halben Apfel, eine Mandarine
und eine Kiwi kleinschneiden. Alles
mit Zitronensaft, einem Becher Magermilchjoghurt und einem halben
Teelöffel Honig vermengen.

IMBISS
Spargelsalat
200 Gramm gekochten Spargel und
eine gekochte Möhre (von Sonntag)
mit Zitronensaft, einem Teelöffel Öl,
Sojasoße und Cayennepfeffer würzen.
Salat auf eine Scheibe Vollkornbrot
geben und mit einem Teelöffel Sesamsamen und Kresse bestreuen.

*Röstkartoffeln
mit Frischkäse-Salat*

Mittwoch

ZUTATEN
(ca. 1000 Kalorien)

½ Paket Mager-
quark (125 g),
50 g körniger
Frischkäse,
2 TL Crème fraîche,
2 ½ TL Öl,
1 Scheibe Vollkorn-
brot, 2 EL Müsli,
½ TL Honig,
Kaffeepulver (Instant),
100 g gekochter
Naturreis (45 g
Rohgewicht),
2 TL Tomatenmark,
1 mittelgr. Apfel,
2 kl. Mandarinen,
125 g weiße Bohnen
(½ kl. Dose),
½ Fenchel (100 g),
1 mittelgr. Kartoffel,
1 mittelgroße
Paprikaschote,
100 g Salatgurke,
1 Zwiebel,
Petersilie (glatt),
Dill, Knoblauch,
1 Lorbeerblatt,
Chili-Gewürz-
mischung, Pfeffer,
Salz, Zitrone

FRÜHSTÜCK
Apfelmüsli
Zwei Eßlöffel Müsli mit einem Eßlöffel Wasser und dem restlichen körnigen Frischkäse (50 g) verrühren. Einen geraspelten Apfel und zwei kleingeschnittene Mandarinen unterheben.

EXTRA
Mokka-Quark
Ein halbes Paket Magerquark mit
einem Eßlöffel Mineralwasser, zwei
Teelöffel Crème fraîche, einem halben
Teelöffel Honig und Kaffeepulver
(Instant) verrühren.

WARME MAHLZEIT
Chili-Bohnentopf (Foto)
Je eine Paprikaschote, Kartoffel und
einen halben Fenchel kleinschneiden,
eine halbe Zwiebel würfeln und eine
Knoblauchzehe hacken. Zwiebel und
Knoblauch in einem Teelöffel Öl andünsten. Einen Teelöffel Chili-Gewürzmischung einrühren. Das Bohnenwasser aus der Dose dazugeben.
Gemüse, Lorbeerblatt und Salz hin-

zufügen und zugedeckt etwa sieben
Minuten kochen. Die Hälfte der Bohnen (125 g) unterheben und weitere
fünf Minuten erhitzen. Vor dem Essen
einen Teelöffel Öl unterrühren und
alles mit gehackter glatter Petersilie
bestreuen.

EXTRA
Dillbrot
Eine Scheibe Vollkornbrot mit zwei
Teelöffel Tomatenmark bestreichen
und mit Pfeffer, Dill und Petersilie
bestreuen.

IMBISS
Gurken-Reissalat
Eine halbe Zwiebel fein würfeln und
mit einem halben Teelöffel Öl, etwas
Zitronensaft, Salz, Pfeffer, Dill, Peter-
silie, einem Stück kleingeschnittener
Gurke und 100 Gramm gekochtem
Naturreis (45 g Rohgewicht) mischen.
Etwas ziehen lassen.

**Chili-
Bohnentopf**

Donnerstag

ZUTATEN
(ca. 1000 Kalorien)

1 Ei, 1 Becher Mager-
milchjoghurt,
40 g Magerquark,
1 EL Parmesankäse,
1 TL Butter oder
Margarine,
2 TL Öl,
1 Scheibe Voll-
kornbrot,
2 Scheiben Vollkorn-
knäckebrot,
2 EL Müsli,
1 TL Honig,
100 g gekochter
Naturreis
(45 g Rohgewicht),
1 EL Sonnenblumen-
kerne,
1 Mandarine,
150 g Blattspinat,
125 g weiße Bohnen
(½ kleine Dose),
200 g Salatgurke,
4 kleine Tomaten,
Kresse, Minze,
Schnittlauch,
Thymian,
Cayennepfeffer,
Knoblauch, Pfeffer,
Salz, Streuwürze,
Zitrone

FRÜHSTÜCK
Kressebrot
Eine Scheibe Vollkornbrot mit einem
Teelöffel Butter oder Margarine
bestreichen und mit einem Eßlöffel
Sonnenblumenkerne, Streuwürze und
Kresse bestreuen. Eine Tomate dazu
essen.

EXTRA
Minzmüsli
Zwei Blätter frische Minze hacken
und mit zwei Eßlöffel Müsli, einem
halben Becher Magermilchjoghurt
und einem Eßlöffel Wasser verrühren.
Zehn Minuten quellen lassen. Eine
zerteilte Mandarine unterheben.

WARME MAHLZEIT
Reisfladen mit Spinat (Foto)
100 Gramm gekochten Naturreis
(45 g Rohgewicht) mit einem Ei, viel
Schnittlauch, etwas Salz, Cayennepfeffer und Thymian verrühren. Eine
Pfanne mit einem halben Teelöffel Öl
auspinseln. Reismasse hineingeben,
zu einem Fladen flachdrücken und
zugedeckt auf niedriger Wärmestufe
etwa fünf Minuten stocken lassen.
Fladen auf einen Topfdeckel stürzen,
die Pfanne erneut einpinseln und den
Fladen von der anderen Seite braten.
100 Gramm Gurke raspeln, eine
Tomate würfeln und mit einem halben
Becher Magermilchjoghurt verrühren.
Mit Salz, Pfeffer, Zitronensaft und
wenig Knoblauch würzen. 150
Gramm Blattspinat in einen heißen
Topf geben und den Spinat zugedeckt
drei bis vier Minuten erwärmen.
Joghurtsoße, Fladen und Spinat auf
einen Teller geben und mit einem
Eßlöffel Parmesankäse bestreuen.

TIP: Kochen Sie gleich die doppelte
Menge Spinat für morgen abend.

*Reisfladen
mit Spinat*

EXTRA
Honigknäcke
Einen Teelöffel Honig mit einem
Eßlöffel Magerquark auf zwei Schei-
ben Vollkornknäckebrot streichen.

IMBISS
Bohnensalat
100 Gramm Salatgurke und zwei
Tomaten kleinschneiden und mit den
restlichen weißen Bohnen (125 g) mischen. Mit geriebener Zitronenschale
und Zitronensaft, Pfeffer, Salz, wenig
Knoblauch, Schnittlauch und Thymian würzen und etwas ziehen lassen.

Freitag

ZUTATEN
(ca. 1000 Kalorien)

125 g Seelachsfilet,
3 EL Dickmilch (45 g),
1 TL Butter oder Margarine, 2 TL Öl,
1 Scheibe Vollkornbrot,
1 Scheibe Vollkornknäckebrot,
2 EL Müsli,
1 TL Marmelade,
½ EL Sonnenblumenkerne,
Gemüsebrühe (Instant), Essig,
4 Oliven (mit Paprika gefüllt),
1 kleine Banane,
1 kleine Mandarine,
1 Orange,
150 g Blattspinat (gedünstet),
3 mittelgroße Kartoffeln,
1 mittelgr. Kohlrabi,
1 kleine Möhre,
2 kleine Tomaten,
Petersilie (glatt),
1 Lorbeerblatt,
Pfeffer, Salz,
Streuwürze,
Zitrone

FRÜHSTÜCK
Bananenmüsli
Zwei Eßlöffel Müsli mit drei Eßlöffel Dickmilch, wenig Wasser, Zitronensaft und einer halben zerdrückten Banane mischen. Zehn Minuten quellen lassen. Die restliche Bananenhälfte und eine Mandarine kurz vor dem Essen kleinschneiden und unterheben.

EXTRA
Marmeladenknäcke
Eine Scheibe Vollkornknäckebrot mit einem Teelöffel Butter oder Margarine und einem Teelöffel Marmelade bestreichen.

WARME MAHLZEIT
Seelachsfilet mit Kohlrabi (Foto)
Drei Kartoffeln kochen. Kohlrabi und Möhre kleinschneiden und in wenig Salzwasser im fest verschlossenen Topf garen. Inzwischen in einer Pfan-

ne eine knappe halbe Tasse Gemüsebrühe mit einer Zitronenscheibe, einem Lorbeerblatt und Pfeffer aufkochen. Die Temperatur verringern, und in dem Sud 125 Gramm Seelachsfilet sechs Minuten zugedeckt dünsten. Fisch und Gemüse aus dem Sud nehmen und warmhalten. Gemüse- und Fischsud zusammengießen und bis auf zwei Eßlöffel einkochen. Vier kleingeschnittene Oliven, einen Teelöffel Öl und etwas geriebene Zitronenschale hinzufügen, und die Soße über das Essen geben. Alles mit glatter Petersilie bestreuen.

TIP: Kochen Sie gleich sechs Kartoffeln. Sie brauchen drei davon morgen mittag.

VEGETARISCHER TIP: So ersetzen Sie den Fisch: ein halbes Paket Magerquark (125g) mit zwei Eßlöffel Magermilchjoghurt, gehackten Kräutern, Oliven, Öl, geriebener Zitronenschale, Salz und Pfeffer verrühren. (Oder: Statt Quark und Joghurt 50 Gramm Lopino nehmen.) Im Wasserbad etwas anwärmen.

EXTRA
Eine Orange

IMBISS
Spinatsalat
150 Gramm gedünsteten Blattspinat mit zwei kleingeschnittenen Tomaten, einem Teelöffel Öl, wenig Essig, Streuwürze und Pfeffer mischen. Mit einem halben Eßlöffel Sonnenblumenkerne bestreuen und eine Scheibe Vollkornbrot dazu essen. Wer mag, kann den Salat auch mit gehacktem Knoblauch zubereiten.

Seelachsfilet mit Kohlrabi

Samstag

Zutaten
(ca. 1000 Kalorien)

4 Scheiben Rind-
fleisch- oder Geflü-
gelsülze (80 g),
3 EL Dickmilch (45 g),
1 EL Magerquark,
1 TL Butter oder
Margarine,
1 ½ TL Öl,
1 kl. Roggenbrötchen,
1 Scheibe Vollkorn-
knäckebrot,
1 Vollkornzwieback,
2 EL Müsli,
1 TL Honig,
1 TL Marmelade,
2 TL Senf,
3 TL Tomatenmark,
1 mittelgroßer Apfel,
½ Paket TK-Brom-
beeren (125 g),
1 Portion Blattsalat,
3 mittelgroße
gekochte Kartoffeln,
150 g Rosenkohl,
200 g Salatgurke,
½ mittelgroßen
Zucchino,
Kresse, Schnittlauch,
Knoblauch, Muskat,
Rosen- und
Edelsüß-Paprika,
Pfeffer, Salz,
Streuwürze, Zitrone

FRÜHSTÜCK
Roggenbrötchen
Brötchenhälften mit je einem Teelöffel Butter oder Margarine und einem
Eßlöffel Magerquark bestreichen. Auf
eine Hälfte kommt ein Teelöffel Marmelade, auf die andere ein Teelöffel
Senf, etwa 50 Gramm Gurkenscheiben, Kresse, Streuwürze und Pfeffer.

EXTRA
Brombeermüsli
Zwei Eßlöffel Müsli mit zwei Eßlöffel Wasser und etwas Zitronensaft
verrühren. Ein halbes Paket aufgetaute Brombeeren damit vermischen, etwas quellen lassen.

WARME MAHLZEIT
Sülze mit
Bratkartoffeln (Foto)
Drei gekochte Kartoffeln kleinschneiden und in einem Teelöffel Öl braten.
Mit Salz und Pfeffer würzen. 150
Gramm Rosenkohl in wenig Salzwasser und mit etwas Muskat bestreut
etwa 15 Minuten garen. Vier Eßlöffel
Sud abnehmen, mit je einer Teelöffelspitze Edelsüß- und Rosenpaprika
und mit drei Teelöffel Tomatenmark
verrühren, aufkochen und zum Rosenkohl geben. Dazu gibt es 80 Gramm
Rindfleisch- oder Geflügelsülze (eine
dicke oder vier dünne Scheiben).

TIP: Kochen Sie insgesamt 300
Gramm Rosenkohl, Sie brauchen
morgen die zusätzliche Menge.
Sie können eine Tiefkühl-
Packung nehmen.

VEGETARISCHER TIP: Statt
Sülze 150 Gramm Tofu in dünne
Scheiben schneiden, mit Zitronensaft,
Kräutersalz, Pfeffer und einem Teelöf-
fel Sesamsamen bestreuen und kalt zu
Bratkartoffeln und Rosenkohl essen.

EXTRA
Honigzwieback
Einen Vollkornzwieback mit einem
Teelöffel Honig bestreichen.

IMBISS
Zucchini-Gurken-Salat
Einen halben Zucchino fünf Minuten
lang in Wasser kochen. Abkühlen und
in Scheiben schneiden. 150 Gramm
Salatgurke und einen Apfel raspeln.
Mit einer Portion Blattsalat und dem
Zucchino auf einem Teller anrichten.
Drei Eßlöffel Dickmilch mit einem
Teelöffel Senf, einem halben Teelöffel
Öl, Zitrone, Knoblauch, Schnittlauch,
Salz und Pfeffer verrühren und auf
dem Salat verteilen. Dazu gibt es eine
Scheibe Vollkornknäckebrot.

Sülze mit
Bratkartoffeln

Sonntag

ZUTATEN

(ca. 1000 Kalorien)

1 Scheibe Rindfleisch-
oder Geflügel-
sülze (20 g),
100 g Schweinefilet,
3 EL Dickmilch (45 g),
1 EL Magerquark,
1 TL Öl,
1 Roggenbrötchen,
2 Scheiben Vollkorn-
knäckebrot,
2 EL Müsli,
1 TL Marmelade,
1 TL Sesamsamen,
Gemüsebrühe
(Instant),
1 TL Senf,
2 TL Tomatenmark,
½ Paket TK-Brom-
beeren (125 g),
1 Kiwi,
2 kl. Mandarinen,
1 Portion Blattsalat,
2 mittelgroße
Kartoffeln,
150 g Rosenkohl
(gekocht),
150 g rote Bete,
½ mittelgroßen
Zucchino,
Petersilie, Rosmarin,
Schnittlauch,
Lorbeerblatt, Pfeffer,
Rosenpaprika, Salz,
Zitrone

FRÜHSTÜCK
Roggenbrötchen

Eine Brötchenhälfte mit einem Teelöf-fel Senf bestreichen und mit einem Salatblatt und einer Scheibe Rind-fleischsülze belegen. Die zweite Hälf-te mit einem Eßlöffel Magerquark und Marmelade bestreichen. Einen schwach gehäuften Teelöffel Sesamsa-men darüberstreuen.

EXTRA
Brombeermüsli

Zwei Eßlöffel Müsli mit je einem Eß-löffel Wasser und Zitronensaft und dem Saft einer Mandarine verrühren. 60 Gramm aufgetaute Brombeeren untermischen.

WARME MAHLZEIT
Schweinefilet mit Rosmarin *(Foto)*

100 Gramm Schweinefilet mit einem schmalen Messer längs einstechen und einen Rosmarinzweig durchstek-ken. Das Fleisch etwa 15 Minuten bei mittlerer Hitze in einem halben Teelöffel Öl braten, mit Salz und Pfef-fer würzen. Inzwischen zwei Kartof-feln und 150 Gramm rote Bete schä-len, würfeln und etwa acht Minuten in einer halben Tasse Gemüsebrühe mit einem Lorbeerblatt bei fest ver-schlossenem Deckel kochen. Einen halben Zucchino würfeln, für drei weitere Minuten zum Gemüse geben. Die Flüssigkeit etwas einkochen. Alles mit Schnittlauch und glatter Petersilie bestreuen.

TIP: Braten Sie gleich 150 Gramm Fleisch, das zusätzliche Filet brauchen Sie morgen abend.

EXTRA
Obstsalat

Eine Kiwi und eine Mandarine klein-schneiden und mit den restlichen auf-getauten Brombeeren (etwa 60 g) mi-schen.

IMBISS
Rosenkohl-Salat

Den gestern gekochten Rosenkohl halbieren und mit Zitronensaft, Salz, Pfeffer und einem halben Teelöffel Öl mischen. Drei Eßlöffel Dickmilch mit Salz, Rosenpaprika, Zitronensaft und Schnittlauch verrühren. Mit einer Portion Blattsalat und dem Rosen-kohl auf einen Teller geben. Dazu gibt es zwei Scheiben Knäckebrot, bestri-chen mit zwei Teelöffel Tomaten-mark. Petersilie darüberstreuen.

VEGETARISCHER TIP: Zum Frühstück statt der Sülze eine Scheibe Tofu (etwa 25 g) nehmen, mit Streuwürze und Kresse bestreuen. Mittags wird das Schweinefilet durch drei Scheiben Käse (30 %) ersetzt: Zwei Scheiben Käse mit zwei Teelöf-fel Senf bestreichen, Kräuter und Pfef-fer darüberstreuen. Die Scheiben übereinanderlegen, einen Teelöffel Öl darüberträufeln, mit der dritten Scheibe abdecken und den Käse auf dem Gemüse schmelzen lassen.

Schweinefilet mit Rosmarin

Montag

ZUTATEN
(ca. 1000 Kalorien)

50 g Schweinefilet
(gebraten),
8 EL Dickmilch (120 g),
1 Becher Mager-
milchjoghurt,
½ TL Honig,
2 TL Butter oder
Margarine,
1 TL Öl,
1 Scheibe Vollkorn-
brot,
2 EL Müsli,
50 g Hirse,
Gemüsebrühe
(Instant),
2 TL Senf,
1 mittelgoßer Apfel,
1 kleine Banane,
½ Paket TK-
Erbsen (150 g),
4 kleine Möhren,
1 kleine Tomate,
1 mittelgr. Zwiebel,
Basilikum,
Estragon (frisch
oder getrocknet),
Petersilie (glatt),
Schnittlauch, Pfeffer,
Salz, Streuwürze,
Zitrone

FRÜHSTÜCK
Bananenmüsli
Zwei Eßlöffel Müsli mit acht Eßlöffel Dickmilch (ca. 120 g) verrühren. Eine kleine Banane kleinschneiden, mit Zitronensaft beträufeln und unterheben.

EXTRA
Apfel-Möhren-Salat
Einen Apfel und zwei Möhren raspeln und mit Zitronensaft und Zitronenschale, Salz, gemahlenem Pfeffer, einem Teelöffel Öl und Kräutern mischen.

WARME MAHLZEIT
Gemüsehirse in Estragonsoße (Foto)
50 Gramm Hirse in einer Tasse Gemüsebrühe aufkochen, zugedeckt auf niedrigster Wärmestufe etwa 20 Minuten quellen lassen ohne umzurühren. Inzwischen in einem Topf mit knapp einer Tasse Salzwasser etwas Estragon, Petersilie, Pfeffer, zwei Möhren und eine halbierte Zwiebel kochen. In dem Gemüsesud ein halbes Paket tiefgekühlte Erbsen (150 g) nach Packungsanweisung garen. Hirse und Gemüse auf einen Teller geben. Den Sud etwas einkochen. Je zwei Teelöffel Senf und Butter oder Margarine einrühren und die Soße über das Gemüse gießen.

TIP: Kochen Sie die doppelte Menge Hirse in zwei Tassen Brühe, und garen Sie gleich das ganze Paket TK-Erbsen. Sie brauchen beides morgen.

EXTRA
Zitronenjoghurt
Einen Becher Magermilchjoghurt mit einem halben Teelöffel Honig und Zitronensaft verrühren.

IMBISS
Schweinefilet mit Basilikum
Eine Scheibe Vollkornbrot mit Basilikum, den Tomatenscheiben und 50 Gramm gebratenem Schweinefilet belegen. Mit Schnittlauch, Streuwürze und Pfeffer bestreuen.

VEGETARISCHER TIP: Das Schweinefleisch können Sie durch eineinhalb Scheiben Käse (30%) ersetzen. Für den Imbiß das Brot zusätzlich mit einem Teelöffel Sonnenblumenkerne bestreuen.

Gemüsehirse in Estragonsoße

Dienstag

ZUTATEN
(ca. 1000 Kalorien)

1 Ei, 7 EL Dickmilch,
1 Becher Mager-
milchjoghurt,
2 Scheiben Käse (45%),
½ TL Öl,
1 Scheibe Vollkorn-
brot, 2 EL Müsli,
1 Scheibe Vollkorn-
knäckebrot,
150 g gekochte Hirse
(50 g Rohgewicht),
1 TL Sonnenblumen-
kerne,
Gemüsebrühe
(Instant), 1 TL Senf,
1 TL Tomatenmark,
1 mittelgroßer Apfel,
2 kl. Mandarinen,
150 g gekochte
Erbsen, 1 mittelgroße
Paprikaschote,
2 kleine Tomaten,
Basilikum, Petersilie,
Schnittlauch,
Cayennepfeffer,
Koriander (gemahlen),
Pfeffer, Salz, Zimt,
Zitrone,
Streuwürze

FRÜHSTÜCK
Käsebrot
Eine Scheibe Vollkornbrot mit einem Teelöffel Senf bestreichen, mit einer Käsescheibe und Basilikum belegen. Einen Teelöffel Sonnenblumenkerne darüberstreuen.

EXTRA
Zimtmüsli
Zwei Eßlöffel Müsli mit zwei Eßlöffel Wasser und einer Messerspitze Zimt verrühren. Fünf Eßlöffel Dickmilch (ca. 75 g) unterheben und mit etwas Zimt bestäuben.

WARME MAHLZEIT
Gefüllte Paprikaschoten mit Hirse (Foto)
150 Gramm gekochte Hirse (50 g Rohgewicht) mit einem Ei, Salz, Pfeffer, gemahlenem Koriander und gehackten Kräutern (Schnittlauch, Petersilie und Basilikum) mischen. Zwei Tomaten würfeln, mit drei Eßlöffel Brühe in einen Topf geben. Darauf zwei mittelgroße Paprikahälften legen, diese zuerst mit Salz und Pfeffer bestreuen, dann mit der Hirse füllen. Zugedeckt zum Kochen bringen und 15 Minuten auf mittlerer Wärmestufe garen. Eine halbe Scheibe Käse würfeln, auf die Paprikahälften geben und weitere fünf Minuten ohne Deckel köcheln. Paprikahälften auf einen Teller legen. Den Tomatensud mit zwei Eßlöffel Dickmilch, einem Becher Magermilchjoghurt und einem halben Teelöffel Öl verrühren. Alles mit Salz und Cayennepfeffer kräftig abschmecken und zur Paprika geben.

EXTRA
Ein Apfel und zwei Mandarinen

IMBISS
Käseknäcke mit Salat
150 Gramm gekochte Erbsen (von gestern) mit Salz, Pfeffer, Zitronensaft, zwei Eßlöffel Gemüsebrühe und gehackten frischen Kräutern mischen und ziehen lassen. Dazu gibt es eine Scheibe Vollkornknäckebrot: Mit einem Teelöffel Tomatenmark bestreichen und eine halbe Scheibe Käse darauflegen.

**Gefüllte
Paprikaschoten
mit Hirse**

Mittwoch

ZUTATEN
(ca. 1000 Kalorien)

140 g Dickmilch,
2 Scheiben Käse (45 %),
½ Paket körniger
Frischkäse (100 g),
½ TL Öl,
1 Scheibe Voll-
kornbrot,
2 EL Müsli,
1 TL Senf,
1 mittelgroße Birne,
1 Grapefruit,
½ Blumenkohl
(ca. 200 g),
4 mittelgroße
Kartoffeln,
1 Bund Radieschen,
Liebstöckel,
Petersilie,
Schnittlauch,
Cayennepfeffer,
Edelsüß-Paprika,
Salz, Zitrone,
Streuwürze

*Blumenkohl
mit Kräutersoße*

FRÜHSTÜCK
Grapefruitmüsli
Zwei Eßlöffel Müsli mit drei Eßlöffel Dickmilch (ca. 45 g) verrühren. Das Fruchtfleisch aus einer Grapefruit lösen und mit dem Müsli vermischen.

EXTRA
Kräuterfrischkäse
Ein halbes Paket körnigen Frischkäse mit gehackten frischen Kräutern, etwas Zitronensaft und Streuwürze mischen, Paprikapulver darüber-streuen.

WARME MAHLZEIT
Blumenkohl
mit Kräutersoße (Foto)
Vier Pellkartoffeln kochen. Blumen-kohl 20 Minuten in Salzwasser garen. Eine Scheibe Käse auf einen Teller legen und warmstellen, damit der Käse zu schmelzen beginnt. Die rest-liche Dickmilch (fast 100 g) mit einem halben Teelöffel Öl, Salz, Cayenne-pfeffer, Zitronensaft und Zitronen-

schale, Schnittlauch, Petersilie, Lieb-stöckel verrühren. Blumenkohl mit der Schaumkelle aus dem Wasser heben, zum Käse und den gepellten Kartoffeln geben und mit der Kräu-tersoße begießen. Über alles Paprika-pulver und üppig frische, gehackte Kräuter streuen.

TIP: Kochen Sie insgesamt sechs Kar-toffeln und einen ganzen Blumenkohl (400 g). Sie brauchen beides morgen abend. Bewahren Sie das Blumen-kohlwasser im Kühlschrank auf, es ist für übermorgen.

EXTRA
Eine Birne

IMBISS
Käsebrot mit Radieschen
Eine Scheibe Vollkornbrot mit einem Teelöffel Senf bestreichen und mit einer Scheibe Käse und Kräuterblät-tern nach Geschmack belegen. Dazu gibt es ein Bund Radieschen.

Donnerstag

ZUTATEN
(ca. 1000 Kalorien)

**2 dünne Scheiben
Parmaschinken (40 g),
1 Scheibe Schnitt-
käse (45 %),
1 TL Parmesankäse,
1 TL Öl,
1 Scheibe Vollkorn-
brot,
2 EL Müsli,
50 g Vollkornnudeln,
1 TL Sesamsamen,
1 mittelgroßer Apfel,
1 kleine Banane,
½ kleiner Blumen-
kohl (200 g, gekocht),
125 g Champignons,
2 gekochte mittel-
große Kartoffeln,
1 kleine Möhre,
½ mittelgroße
Stange Porree,
2 kleine Tomaten,
Basilikum,
Petersilie (glatt),
Schnittlauch,
Pfeffer, Salz,
Streuwürze, Zitrone**

FRÜHSTÜCK
Tomatenbrot
Eine Scheibe Vollkornbrot mit den Scheiben einer Tomate belegen. Gehacktes Basilikum darüberstreuen. Darauf kommen eine Scheibe Käse und ein Teelöffel Sesamsamen.

TIP: Das Brot schmeckt besonders lecker, wenn es kurz unter den Grill geschoben wird.

EXTRA
Bananenmüsli
Zwei Eßlöffel Müsli mit je einem Eßlöffel Wasser und Zitronensaft mischen. Eine halbe Banane zerdrücken und alles verrühren.

WARME MAHLZEIT
Gemüsenudeln mit Parmaschinken (Foto)
50 Gramm Vollkornnudeln in Salzwasser garen, das Wasser aufbewahren. Eine halbe Stange Porree und eine Möhre in dünne Streifen schneiden und in einer Pfanne ohne Fett unter ständigem Rühren kurz andünsten.

125 Gramm kleingeschnittene Champignons dazugeben, mit Streuwürze und zwei Eßlöffel Zitronensaft würzen. Drei Eßlöffel Nudelwasser und glatte Petersilie mit dem Gemüse mischen, anschließend mit den abgegossenen Nudeln vermengen. Mit einem Teelöffel Parmesankäse und Pfeffer bestreuen. Dazu gibt es zwei sehr dünn geschnittene Scheiben Parmaschinken.

TIP: Kochen Sie heute am besten 100 Gramm Nudeln, Sie brauchen die Hälfte morgen.

🍅 VEGETARISCHER TIP: Nehmen Sie statt Schinken 100 Gramm Tofu. Tofu würfeln, in etwas Sojasoße marinieren und auf dem Gemüse erwärmen. Einen Teelöffel Öl über die Gemüsenudeln träufeln.

EXTRA
Früchte
Eine halbe Banane und einen Apfel kleinschneiden und mit Zitronensaft beträufeln.

IMBISS
Blumenkohlsalat
Einen halben gekochten Blumenkohl und zwei gekochte Kartoffeln kleinschneiden. Eine Tomate fein würfeln, mit einem Teelöffel Öl, Zitronensaft, Salz und Pfeffer verrühren. Salatsoße mit dem Gemüse vermischen. Gehackten Schnittlauch und Petersilie darüberstreuen.

Gemüsenudeln
mit Parmaschinken

Freitag

75 g Krabbenfleisch,
½ Becher Magermilchjoghurt,
50 g körniger Frischkäse,
1 TL Parmesankäse,
1 ½ TL Butter oder Margarine,
1 ½ TL Öl,
1 Scheibe Vollkornbrot,
2 EL Müsli,
1 Vollkornzwieback,
1 TL Honig,
125 g gekochte Vollkornnudeln
(50 g Rohgewicht),
1 TL Sesamsamen,
Gemüsebrühe (Instant),
2 TL Sojasoße,
1 mittelgr. Apfel,
1 mittelgr. Birne,
1 kleine Mandarine,
2 kleine Möhren,
½ mittelgroße Stange Porree,
125 g Sojasprossen,
1 kleine Tomate,
Koriander (frisch),
Petersilie,
Schnittlauch,
Cayennepfeffer,
Knoblauch, Pfeffer,
Zimt, Zitrone

*Krabben-
nudeln*

FRÜHSTÜCK
Früchtemüsli
Zwei Eßlöffel Müsli mit einem halben Becher Magermilchjoghurt verrühren. Eine kleingeschnittene Mandarine und Birne untermischen. Alles mit etwas Zimt bepudern.

EXTRA
Apfel mit körnigem Frischkäse
Einen mittelgroßen Apfel in Spalten schneiden oder raspeln, mit Zitronensaft beträufeln und mit 50 Gramm körnigem Frischkäse mischen.

WARME MAHLZEIT
Krabbennudeln (Foto)
Eine halbe Stange Porree in dünne Streifen schneiden und in einem halben Teelöffel Öl andünsten. Je 125 g Sojasprossen und gekochte Vollkornnudeln (50 g Rohgewicht), zwei Teelöffel Sojasoße und zwei Eßlöffel Gemüsebrühe dazurühren. Mit Cayennepfeffer und etwas Knoblauch würzen. Nach etwa einer Minute das Krabbenfleisch und einen Teelöffel Öl hinzufügen und kurz erwärmen. Über alles einen Teelöffel Sesamsamen und frische Korianderblätter streuen.

VEGETARISCHER TIP: Statt Krabben: Ein Ei mit Kräutersalz verquirlen und unter die heißen Nudeln rühren. Bei niedriger Temperatur stocken lassen.

EXTRA
Honigzwieback
Einen Vollkornzwieback mit einer Messerspitze Butter oder Margarine und einem Teelöffel Honig bestreichen.

IMBISS
Gemüsebrühe
Eine Tasse Blumenkohlwasser (von Mittwoch) erhitzen und mit einem Teelöffel Gemüsebrühe (Instant) und Schnittlauchröllchen verrühren. Eine Scheibe Vollkornbrot mit einem Teelöffel Butter oder Margarine bestreichen. Eine Tomate in Scheiben schneiden, mit Petersilienblättern aufs Brot legen und mit einem Teelöffel Parmesankäse und Pfeffer bestreuen. Dazu gibt es zwei Möhren.

Samstag

ZUTATEN
(ca. 1000 Kalorien)

100 g Beefsteakhack,
½ Becher Mager-
milchjoghurt,
50 g körniger
Frischkäse,
1 ½ TL Öl,
1 Roggenbrötchen,
2 Scheiben Vollkorn-
knäckebrot,
2 EL Müsli,
2 TL Marmelade,
5 EL Kartoffelpüree-
flocken (mit Milch),
1 TL Sesamsamen,
Gemüsebrühe
(Instant),
2 TL Sojasoße,
1 mittelgr. Apfel,
1 Paket TK-Erdbeeren
(250 g),
1 kleine Mandarine,
1 Orange,
125 g Sojasprossen,
200 g Staudensellerie,
Petersilie,
Koriander (frisch),
Schnittlauch,
Cayennepfeffer,
Chinagewürz,
Ingwer (gemahlen),
Knoblauch, Salz,
Streuwürze

FRÜHSTÜCK
Roggenbrötchen

Beide Brötchenhälften mit dem restlichen körnigen Frischkäse bestreichen. Auf die eine Hälfte kommt zusätzlich ein Teelöffel Marmelade, die andere wird mit gehackten Kräutern, Streuwürze und einem Teelöffel Sesamsamen bestreut.

EXTRA
Erdbeeren

Ein Paket tiefgekühlte Erdbeeren auftauen und in dem Saft einer ausgedrückten Mandarine marinieren.

WARME MAHLZEIT
Frikadelle mit Sellerie-Orangen-Gemüse (Foto)

100 Gramm Beefsteakhack mit je zwei Eßlöffel Müsli und Wasser, gehacktem Schnittlauch, Chinagewürz und Salz verkneten. Eine oder zwei flache Frikadellen formen und in einem halben Teelöffel Öl auf beiden Seiten braten und warmstellen. Eine halbe Orange und 200 Gramm Staudensellerie kleinschneiden und mit zwei Eßlöffel Gemüsebrühe in die Pfanne geben. Mit Cayennepfeffer, Salz und wenig Knoblauch würzen. Pfanne vom Herd nehmen. Einen halben Becher Magermilchjoghurt unterrühren. Dazu gibt es eine Portion Kartoffelbrei: knapp eine Tasse Salzwasser erhitzen, gehackte Petersilie und fünf Eßlöffel Kartoffelpüreeflocken einrühren.

EXTRA
Apfelknäcke

Eine Scheibe Vollkornknäckebrot mit einem Teelöffel Marmelade bestreichen und mit einem halben, in Spalten geschnittenen Apfel belegen.

IMBISS
Sojasprossensalat

Einen halben Apfel raspeln, eine halbe Orange kleinschneiden. Schnittlauch und Korianderblätter hacken. Alles mit 125 Gramm Sojasprossen, zwei Teelöffel Sojasoße, einem Teelöffel Öl, etwas gemahlenem Ingwer und Cayennepfeffer mischen. Dazu gibt es eine Scheibe Vollkornknäckebrot.

🍅 **VEGETARISCHER TIP:** Das Fleisch für die warme Mahlzeit können Sie durch Tofu ersetzen. 150 Gramm Tofu, zwei Eßlöffel Müsli, viel Schnittlauch, Chinagewürz und Salz mit einer Gabel zu einer krümeligen Masse verkneten und in einem halben Teelöffel Öl braten.

Frikadelle mit Sellerie-Orangen-Gemüse

Einkaufsliste für die frischen Zutaten

Das sollten Sie im Hause haben:

Aprikosen (getrocknet und ungeschwefelt)
Butter oder Margarine
Cayennepfeffer
Chili-Gewürzmischung
Chinagewürz
Crème fraîche, Curry
Essig, Estragon
Gemüsebrühe (Instant)
Haferkleie (mit Keim)
Hirse, Honig
Ingwer (gemahlen), Kapern
Kartoffelpüreeflocken
(mit Milch, Fertigprodukt)
Knoblauch
Koriander (gemahlen)
Kräuter (möglichst frisch):
Basilikum, Dill, Estragon,
Koriander, Kresse,
Liebstöckel, Lorbeerblatt,
Minze, Petersilie (glatt
und kraus), Rosmarin,
Schnittlauch, Thymian.
Kürbiskerne
Marmelade (ohne Zucker-
zusatz), Mineralwasser
Muskat, Naturreis
Öl – zum Kochen
Öl – kaltgepreßtes für Salate
Oliven (mit Paprika gefüllt,
kleines Glas)
Edelsüß- und Rosenpaprika
Parmesankäse
Pfeffer (schwarz), Salz
Senf (körniger
oder Estragonsenf)
Sesamsamen, Sojasoße
Sonnenblumenkerne
Streuwürze
Tee (schwarzer Tee
und Kräutertee)
Tomatenmark
Vier-Korn-Flocken
Vollkornknäckebrot,
-nudeln, -zwieback
Weiße Bohnen (kl. Dose, 250 g)
Zimt, Zwiebeln
Zitronen (unbehandelt)

FISCH UND FLEISCH

Beefsteakhack (Gramm)
Hähnchenbrustfilet (1 Stück, 90 g)
Parmaschinken (Gramm)
Rindfleischsülze (1 Scheibe, 20 g)
Schweinefilet (Gramm)
Schweineschnitzel (Gramm)
Krabbenfleisch (Gramm)
Seelachsfilet (Gramm)

BROT, MILCH UND EIER

Eier (1 Stück, Gewichtsklasse M)
Dickmilch (1 Becher, 500 g, 1,5 %)
Magermilchjoghurt (1 Becher, 150 g)
Magerquark (1 Paket, 250 g)
Körniger Frischkäse (1 Becher, 200 g)
Schmelzkäse (1 Ecke, 62 g, 20 %)
Schnittkäse (1 Scheibe, 20 g, 45 %)
Roggenbrötchen (1 Stück, 40 g)
Vollkornbrot (1 Scheibe, 50 g)

OBST UND GEMÜSE

Apfel (mittelgroß, 100 g)
Banane (klein, 100 g)
Birne (mittelgroß, 175 g)
Brombeeren (TK-Paket, 250 g)
Erdbeeren (TK-Paket, 250 g)
Grapefruit (1 Stück, 300 g)
Heidelbeeren (TK-Paket, 250 g)
Kiwi (1 Stück, 100 g)
Mandarine (klein, 50 g)
Orange (unbehandelt, groß, 200 g)
Blattsalat (1 Portion, 50–100 g)
Blattspinat (TK-Paket, 300 g)
Blumenkohl (klein, 400 g)
Champignons (Gramm)
Chicorée (Gramm)
Erbsen (TK-Paket, 300 g)
Fenchel (mittelgroß, 200 g)
Kartoffeln (mittelgroß, 75 g)
Kohlrabi (mittelgroß, 200 g)
Möhren (klein, 50 g)
Paprikaschote (mittelgroß, 150 g)
Porree (1 Stange, 150 g)
Radieschen (1 Bund)
Rosenkohl (Gramm)
Rote Bete (Gramm)
Salatgurke (mittelgroß, 500 g)
Sojasprossen (Gramm)
Spargel (Gramm)
Staudensellerie (Gramm)
Tomaten (klein, 50 g)
Zucchini (klein, 125 g)

So	Mo	Di	Mi	Do	Fr	Sa
1						
						4
	100					
					125	
			1			
					45	45
1		1		1		
			125	40		40
		150	50			
1/3	2/3					
1						1
	1	1	1	1	1	
		1	1			1
	1				1	
	2					
						125
150		100				
		1				
	2	1	2	1	1	
		1			1	
1		1				1
				150	150	
	200					
	1/2		1/2			
5		3	1		3	3
					1	
1		1			1	
		1	1			
						150
			100	200		200
200		200				
1				4	2	
						1/2

So	Mo	Di	Mi	Do	Fr	Sa
						100
				40		
1						
100	50					
					75	
		1				
45	120	105	140			
	1	1			1/2	1/2
45						
			100		50	50
		2	2	1		
1						1
	1	1	1	1		
	1	1		1	1	1
	1			1		
			1	1		
125						
						250
			1			
1						
2		2			1	1
						1
1						
			1/2	1/2		
				125		
	150	150				
2			4	2		
	4				1	2
		1				
				1/2	1/2	
			1			
150						
150						
					125	125
						200
		1	2		2	1
1/2						

Spinatnudeln mit
Parmaschinken
(Rezept siehe Seite 78)

Kochen wie

am Mittelmeer

14 Tagespläne
mit 1000 bis
1500 Kalorien

Sonntag

ZUTATEN
(ca. 1000 Kalorien)

1 Hähnchenbrust-
filet, 1 Ei,

1 Scheibe Käse (45 %),

3 TL Öl,

1 Roggenbrötchen,

1 Vollkornzwieback,

1 TL Honig,

5 Oliven (mit Paprika
gefüllt),

1 TL Kapern,

200 g Weintrauben,

1 Portion Blattsalat,

½ Fenchelknolle,

3 mittelgroße
Kartoffeln,

1 kleine Tomate,
Basilikum, Petersilie,
Salbei, evtl. Salbei-
blüten, Knoblauch,
Pfeffer, Salz,
Zitrone

**500 KALORIEN
ZUSÄTZLICH:**
1 Hähnchenbrust-
filet,

3 TL Butter oder
Margarine,

1 Roggenbrötchen,

125 g Weintrauben,

2 mittelgr. Kartoffeln

FRÜHSTÜCK
Käsebrötchen mit Ei
Ein halbes Roggenbrötchen mit einer in Scheiben geschnittenen Tomate und einer halben Scheibe Käse belegen. Mit Pfeffer und Basilikumblättern würzen. Dazu gibt es ein gekochtes Ei.

EXTRA
Honigzwieback
Einen Vollkornzwieback mit einem Teelöffel Honig bestreichen.

WARME MAHLZEIT
Salbeihähnchen mit Zitronen-Kartoffeln (Foto)
Drei gekochte Kartoffeln in Würfel schneiden und in den heißen Topf geben. In Zitronensaft und einem Teelöffel Öl schwenken, salzen und pfeffern. Eine halbe Scheibe Käse würfeln. Käsewürfel und Petersilie darüberstreuen. Aus einem Teelöffel Öl, Salz, Pfeffer, gehacktem Knoblauch und Zitronensaft eine Salatsoße rühren. Mit einer Portion Blattsalat vermengen und mit einem Teelöffel Kapern bestreuen. Eine Grill- oder Eisenpfanne stark erhitzen. Hähn-chenbrustfilet aufschneiden, die Scheiben flachklopfen und auf jeder Seite etwa eine Minute grillen. Nach dem Wenden mit Salz, Pfeffer und zwei sehr fein gehackten Salbeiblät-tern – wenn Sie haben, auch mit Sal-beiblüten – bestreuen.

EXTRA
200 Gramm Weintrauben

IMBISS
Fenchelsalat
Eine halbe Fenchelknolle mit dem Gemüsehobel in hauchdünne Schei-ben schneiden und auf einem Teller ausbreiten. Salzen, pfeffern und mit Zitronensaft und einem Teelöffel Öl beträufeln. Alles mischen. Fünf gefüll-te Oliven in Scheiben schneiden und mit der Petersilie über den Salat streu-en. Ein halbes Roggenbrötchen rösten und dazu essen.

TIP FÜR 1500 KALORIEN: Zum Mit-tagessen kriegen Sie die doppelte Fleischportion und zusätzlich zwei gekochte Kartoffeln. Morgens und abends können Sie jeweils ein halbes Butterbrötchen mehr essen, und auch der Honigzwieback wird mit Butter bestrichen. Die 125 Gramm Wein-trauben gibt es zwischendurch.

Salbeihähnchen mit
Zitronen-Kartoffeln

Montag

FRÜHSTÜCK
Traubenjoghurt
Anderthalb Becher Magermilchjoghurt mit 50 Gramm halbierten Weintrauben mischen. Mit einem Eßlöffel Kürbiskernen und einer halben Scheibe zerbröseltem Vollkornknäckebrot bestreuen.

EXTRA
200 Gramm Pflaumen oder Zwetschgen

WARME MAHLZEIT
Gemüsesuppe mit Parmesankäse (Foto)
Eine Dose weiße Bohnen abtropfen lassen, das Bohnenwasser in einem Meßbecher auffangen. Mit Gemüsebrühe auf einen Viertelliter auffüllen. Zwei Tomaten vierteln, je eine Möhre, Zucchino und Kartoffel würfeln und in der Brühe mit einem Lorbeerblatt fünf Minuten kochen. Die Hälfte der Bohnen dazugeben und fünf Minuten erhitzen. Mit Pfeffer würzen. Zwei Teelöffel Öl, einen Teelöffel Parmesankäse, Knoblauch, gehacktes Basilikum und eine halbe Scheibe zerbröseltes Knäckebrot mischen und erst kurz vor dem Essen in die heiße Suppe rühren.

EXTRA
Gemüserohkost
Eine halbe Fenchelknolle, zwei Möhren und eine Tomate essen. Wer Lust zum Schnipseln hat, kann alles raspeln oder kleinschneiden. Aus Zitronensaft, frischen Kräutern, einem halben Becher Magermilchjoghurt und Streuwürze eine Soße oder einen Dip mischen.

IMBISS
Basilikum-Toast
Eine Scheibe Vollkornbrot toasten, mit einer aufgeschnittenen Knoblauchzehe einreiben. Mit Salat- und Basilikumblättern und einer Scheibe Käse belegen und mit einem halben Eßlöffel Kürbiskernen bestreuen.

TIP FÜR 1500 KALORIEN: Die Würstchen schmecken gut in der Gemüsesuppe. Ein Knäckebrot mit Marmelade und einen Becher Joghurt gibt es zwischendurch. Abends können Sie zusätzlich einen Teelöffel Butter aufs Brot streichen.

Gemüsesuppe mit Parmesankäse

Dienstag

ZUTATEN
(ca. 1000 Kalorien)

2 Becher Mager-
milchjoghurt,
2 EL körniger
Frischkäse (60 g),
1 Scheibe Käse (45 %),
2 ½ TL Öl,
1 Scheibe Voll-
kornbrot,
1 Vollkornzwieback,
4 EL Hirse (40 g),
1 TL Sesamsamen,
Gemüsebrühe
(Instant),
1 mittelgr. Birne,
75 g Weintrauben,
1 mittelgroße
Aubergine,
½ Dose weiße Boh-
nen (125 g),
3 kleine Tomaten,
2 mittelgr. Zwiebeln,
Minze,
glatte Petersilie,
Thymian oder
Bohnenkraut,
Cayennepfeffer,
Knoblauch, Kumin,
Pfeffer, Salz,
Streuwürze, Zimt,
Zitrone

**500 KALORIEN
ZUSÄTZLICH:**
3 Scheiben Lachs-
schinken (60 g),
1 TL Butter oder
Margarine,
2 TL Öl,
1 Scheibe Vollkorn-
knäckebrot,
40 g Hirse,
2 Äpfel

FRÜHSTÜCK
Frischkäse mit Tomate

Auf eine Scheibe getoastetes Voll-
kornbrot zwei Eßlöffel körnigen
Frischkäse streichen. Eine Tomate in
Scheiben schneiden, mit einem halben
Teelöffel Öl beträufeln und auf das
Brot legen. Alles mit frischen Kräu-
tern und Streuwürze bestreuen.

EXTRA
Zimtjoghurt

Einen Becher Magermilchjoghurt mit
75 Gramm halbierten Weintrauben
und etwas Zimt mischen.

WARME MAHLZEIT
Gefüllte Aubergine
mit Minzsoße *(Foto)*

Zwei mittelgroße Auberginen zwanzig
Minuten in einem Sieb über Dampf
oder in kochendem Wasser vorgaren.
Acht Eßlöffel Hirse in gut der doppelten Menge Wasser aufkochen und 20
Minuten ausquellen lassen. Die Hälfte
essen Sie heute, den Rest morgen. Zwei
Zwiebeln halbieren, in Streifen schneiden und in einer halben Tasse Gemüsebrühe mit einem Eßlöffel Zitronensaft erhitzen und etwas einkochen. Die
eine der beiden Auberginen (die andere ist für morgen abend) halbieren und
aushöhlen. Gemüsefleisch, eine Scheibe Käse und zwei Tomaten hacken, mit
Knoblauch, Kumin, Salz, Pfeffer und
Petersilie mischen und in die Aubergi-
nenhälften füllen. Auberginen auf das
Zwiebelgemüse geben und fünf Minuten fest verschlossen dünsten. Einen
Becher Magermilchjoghurt mit zwei
Minzblättern, Salz und Cayennepfeffer
verrühren. Alles auf einen Teller geben
und mit einem Teelöffel Sesamsamen
bestreuen.

EXTRA
Eine Birne und
ein Vollkornzwieback

IMBISS
Bohnensalat

Die restlichen abgetropften weißen
Bohnen von gestern (½ Dose) mit
gehacktem Knoblauch, zwei Teelöffel
Öl, Thymian oder Bohnenkraut,
Zitronensaft, Salz und grob gemahlenem Pfeffer mischen. Etwas ziehen
lassen (nicht im Kühlschrank).

TIP FÜR 1500 KALORIEN: Mittags
zusätzlich vier Eßlöffel Hirse kochen
und über die heißen Auberginenhälf-
ten je einen Teelöffel Öl tröpfeln.
Knäckebrot mit Butter und Schinken
paßt zum Frühstück oder Imbiß. Die
Äpfel gibt es zwischendurch.

*Gefüllte
Aubergine mit
Minzsoße*

Mittwoch

ZUTATEN
(ca. 1000 Kalorien)

1 Ei, 1 Becher
Magermilchjoghurt,
½ Paket körniger
Frischkäse (100 g),
2 TL Öl,
1 Vollkornzwieback,
1 Scheibe Voll-
kornbrot,
1 TL Honig,
2 EL Vier-Korn-
Flocken,
90 g gekochte Hirse
(40 g Rohgewicht),
Gemüsebrühe
(Instant), Essig,
2 mittelgroße Äpfel,
100 g Pflaumen
oder Zwetschgen,
1 vorgegarte
Aubergine,
1 gr. Paprikaschote,
3 kleine Tomaten,
1 mittelgr. Zwiebel,
frischer Koriander
oder Petersilie,
Minze, Schnittlauch,
Thymian, Knob-
lauch, Koriander
(gemahlen),
Kumin, Pfeffer,
Salz, Zitrone

500 KALORIEN
ZUSÄTZLICH:
4 Scheiben Rinder-
saftschinken (80 g),
1 Scheibe Käse (45 %),
2 TL Öl,
1 Vollkornzwieback,
1 TL Marmelade,
1 TL Sesamsamen,
1 Birne, 1 Pfirsich

FRÜHSTÜCK
Pflaumenmüsli

Ein halbes Paket körnigen Frischkäse mit 100 Gramm entkernten kleinge-schnittenen Pflaumen, Zitronensaft und geriebener Zitronenschale mi-schen. Zwei Eßlöffel Vier-Korn-Flocken in einer trockenen Pfanne rösten und darüberstreuen.

EXTRA
Zwei Äpfel

WARME MAHLZEIT
Hirsefladen *(Foto)*

Etwa 90 Gramm gekochte Hirse (von gestern) mit einem Ei, Salz, Pfeffer, viel gehacktem Schnittlauch, einem Minz-blatt und geriebener Zitronenschale mischen und etwas ziehen lassen. Eine Paprikaschote, zwei Tomaten und eine Zwiebel kleinschneiden und mit einer feingehackten Knoblauchzehe, Salz, einem Teelöffel Essig und einem hal-ben Teelöffel Honig, je einer Prise Kumin und Koriander und mit drei Eßlöffel Brühe aufkochen. Sieben Minuten fest verschlossen dünsten. Hirse eßlöffelweise in eine heiße Pfan-ne geben und in einem Teelöffel Öl bei geschlossenem Deckel braten. Fladen und Gemüse mit frischem Koriander bestreuen.

EXTRA
Zitronenjoghurt und Zwieback

Einen Becher Magermilchjoghurt mit Zitronensaft und Zitronenschale und mit einem halben Teelöffel Honig ver-rühren. Zwieback dazu essen.

IMBISS
Marinierte Aubergine

Die gestern vorgegarte Aubergine in Scheiben schneiden. Eine Tomate hal-bieren, entkernen und fein würfeln. Die Tomatenkerne mit Knoblauch, Zitronensaft, einem Teelöffel Öl und Thymianblättern mischen und etwas ziehen lassen. Dazu gibt es eine Schei-be Vollkornbrot.

TIP FÜR 1500 KALORIEN: Mittags gibt es zusätzlich Rindersaftschinken, und das Gemüse wird vor dem Essen mit Öl beträufelt. Abends können Sie eine Scheibe Käse aufs Brot legen. Obst und Marmeladen-Zwieback mit Sesamsamen sind für den kleinen Hunger zwischendurch.

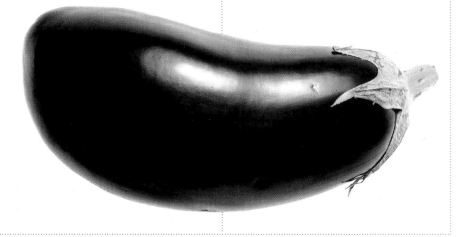

Hirsefladen

Donnerstag

*Spinatnudeln
mit Parmaschinken*

ZUTATEN
(ca. 1000 Kalorien)

**40 g Parmaschinken
(hauchdünn),
1 Becher Mager-
milchjoghurt,
40 g körniger
Frischkäse,
1 TL Parmesankäse,
1 Scheibe Schnitt-
käse (45 %),
1 TL Öl,
1 Scheibe Voll-
kornbrot,
1 Roggenbrötchen,
2 Vollkornzwiebäcke,
1 TL Honig,
50 g Vollkorn-
nudeln, Gemüse-
brühe (Instant),
2 Oliven (mit
Paprika gefüllt),
1 kleine Banane,
100 g Blattspinat,
100 g Salatgurke,
2 kleine Möhren,
1 kleine Zwiebel,
Basilikum,
Knoblauch, Muskat,
Pfeffer, Salz,
Zitrone**

500 KALORIEN
ZUSÄTZLICH:
**40 g Parmaschinken,
2 TL Parmesankäse,
2 TL Butter oder
Margarine,
4 Oliven (mit
Paprika gefüllt),
1 Banane,
150 g Weintrauben**

FRÜHSTÜCK
Kräuterbrot
Eine Scheibe Vollkornbrot mit körnigem Frischkäse bestreichen und mit einer Scheibe Käse belegen. Frisch gemahlenen Pfeffer und gehackte Kräuter darüberstreuen.

EXTRA
Eine Banane

WARME MAHLZEIT
*Spinatnudeln
mit Parmaschinken* (Foto)
50 Gramm Vollkornnudeln bißfest garen. Zwei Möhren in Scheiben schneiden, eine Zwiebel fein würfeln und in drei Eßlöffel Gemüsebrühe fünf Minuten im geschlossenen Topf garen. 100 Gramm gewaschenen Spinat in Streifen schneiden, eine halbe Knoblauchzehe hacken und beides zum Gemüse geben. Mit Salz, Pfeffer und Muskat herzhaft würzen. Mit den abgegossenen Nudeln auf einem Teller anrichten. Alles mit einem Teelöffel Parmesankäse bestreuen. Dazu gibt es 40 Gramm sehr dünn geschnittenen Parmaschinken (den Fettrand vorher abschneiden).

EXTRA
Honigzwieback
Zwei Vollkornzwiebäcke mit einem Teelöffel Honig bestreichen.

IMBISS
Salatbrötchen
Eine dickes Stück Gurke und zwei mit Paprika gefüllte Oliven kleinschneiden und mit Basilikumblättern auf zwei Roggenbrötchenhälften verteilen. Zitronensaft, Salz, Pfeffer und einen Teelöffel Öl mischen und über den Salat träufeln. Dazu gibt es einen Becher Magermilchjoghurt.

TIP FÜR 1500 KALORIEN: Mittags gibt es die doppelte Portion Parmaschinken. Die Nudeln werden zusätzlich mit zwei Teelöffel Parmesankäse bestreut. Abends können Sie das Brötchen mit Butter bestreichen und noch vier Oliven essen. Weintrauben und Banane sind weitere Extras.

Freitag

ZUTATEN
(ca. 1000 Kalorien)

**125 g Lengfisch (oder Seelachs),
1 Scheibe Schnittkäse (45 %),
2 TL Öl,
1 Scheibe Vollkornbrot, 2 EL Vier-Korn-Flocken,
3 EL Rundkorn-Naturreis (45 g Rohgewicht),
1 ½ EL Sonnenblumenkerne,
Gemüsebrühe (Instant),
1 kleine Banane,
1 mittelgr. Pfirsich,
100 g Pflaumen oder Zwetschgen,
100 g Salatgurke,
1 gr. Paprikaschote,
8 kleine Tomaten,
1 mittelgr. Zwiebel,
Basilikum, Minze, Petersilie, Schnittlauch, Cayennepfeffer, Knoblauch, Lorbeerblätter, Pfeffer, Salz, Zitrone**

**500 KALORIEN ZUSÄTZLICH:
100 g Krabbenfleisch,
2 TL Öl,
3 EL Reis (45 g),
1 Pfirsich,
200 g Pflaumen**

FRÜHSTÜCK
Bananen-Pflaumen-Müsli
Eine Banane und 100 Gramm Pflaumen kleinschneiden und mit Zitronensaft beträufeln. Zwei Eßlöffel Vier-Korn-Flocken und einen gestrichenen Teelöffel Sonnenblumenkerne in einer Pfanne ohne Fett rösten und warm übers Obst geben.

EXTRA
Tomatensalat
Sechs kleine Tomaten in Scheiben schneiden, mit Schnittlauch, Basilikum, einem Teelöffel Öl, Salz und Pfeffer würzen und einige Minuten ziehen lassen.

WARME MAHLZEIT
Lengfisch-Spieß (Foto)
125 Gramm Lengfisch würfeln. Eine halbe Zwiebel reiben, mit Zitronensaft und Salz mischen und darin die Fischwürfel etwas marinieren. Sechs Eßlöffel Rundkorn-Naturreis in der zwei- bis dreifachen Menge Wasser mit etwas Gemüsebrühe aufkochen und 30 Minuten bei niedriger Temperatur ausquellen lassen. Eine Paprikaschote entkernen, vierteln und für die letzten 15 Minuten mit der übriggebliebenen Zwiebelhälfte zum Reis geben. Eine kleine Tomate würfeln und abwechselnd mit Lorbeerblättern und Fischwürfeln auf einen Spieß stecken. Den Fischspieß auf einer vorgeheizten Grillpfanne oder Eisenpfanne rundum braten, mit einem Teelöffel Öl beträufeln. Die Hälfte von dem gekochten Reis für morgen aufbewahren, den Rest mit dem Spieß und dem Gemüse auf einen Teller geben und alles mit Cayennepfeffer und Petersilie bestreuen.

EXTRA
Pfirsich mit Sonnenblumenkernen
Einen Pfirsich in Spalten schneiden, mit Zitronensaft beträufeln und einen Eßlöffel Sonnenblumenkerne und ein gehacktes Minzblatt darüberstreuen.

IMBISS
Käsesalat
Eine Scheibe Vollkornbrot in einer Pfanne rösten und mit einer aufgeschnittenen Knoblauchzehe einreiben. Ein großes Stück Gurke und eine Tomate kleinschneiden, Basilikum, Petersilie und eine Scheibe Käse hacken und alles auf das Brot geben. Mit Salz und Pfeffer würzen.

TIP FÜR 1500 KALORIEN: Mittags können Sie drei Eßlöffel Reis mehr kochen. Auf Paprikagemüse und Käsesalat kommt je ein Teelöffel Öl. Zum Imbiß gibt es 100 Gramm Krabbenfleisch zusätzlich, zwischendurch Pflaumen und einen Pfirsich.

Lengfisch-Spieß

Samstag

ZUTATEN
(ca. 1000 Kalorien)

1 Ei, 3 Becher Mager-
milchjoghurt,
1/2 Ecke Schmelz-
käse (20 %),
3 TL Öl,
1 Roggenbrötchen,
2 Scheiben Voll-
kornknäckebrot,
ca. 130 g gekochter
Rundkornreis
(45 g Rohgewicht),
1 gestr. TL Sonnen-
blumenkerne,
Gemüsebrühe
(Instant),
2 mittelgroße Äpfel,
1 frische Feige,
1 mittelgr. Pfirsich,
300 g Salatgurke,
2 Lauchzwiebeln
(ca. 1/2 Bund),
2 mittelgr. Tomaten,
Basilikum, Dill,
Minze, Schnittlauch,
Knoblauch, Pfeffer,
Salz, Rosenpaprika,
Zitrone

500 KALORIEN
ZUSÄTZLICH:
100 g Lachsschinken
(ohne Fettrand),
2 EL Parmesankäse,
1 Scheibe Käse (45 %),
1 TL Butter oder
Margarine,
1 Vollkornzwieback,
1 TL Marmelade,
1 TL Sesamsamen,
1 Banane

FRÜHSTÜCK
Kräuterbrötchen mit Apfel

Ein Roggenbrötchen durchschneiden und die beiden Hälften mit einer halben Ecke Schmelzkäse bestreichen. Die eine Hälfte mit frischen Kräutern und Pfeffer würzen, die andere mit kleinen Gurkenstückchen (ca. 50 g) und Rosenpaprika bestreuen. Dazu gibt es einen geraspelten Apfel, vermischt mit einem Becher Magermilchjoghurt.

EXTRA
Feigensalat

Je eine frische Feige und einen Apfel kleinschneiden, mit Zitronensaft beträufeln und einen gestrichenen Teelöffel Sonnenblumenkerne darüberstreuen. Wer keine frische Feige bekommen kann: Der Salat schmeckt auch gut mit einer Kiwi.

WARME MAHLZEIT
Gefüllte Tomaten (Foto)

Deckel von zwei Tomaten abschneiden. Das Innere aushöhlen und mit drei Eßlöffel Gemüsebrühe in einen Topf geben. Ein Ei mit etwas gehack-tem Knoblauch, Salz, Pfeffer, gehackten Kräutern (z. B. Schnittlauch und Basilikum) verquirlen und die Tomaten damit füllen. Die gefüllten Tomaten in den Topf mit der Gemüsebrühe setzen, zudecken und auf niedriger Wärmestufe dünsten. Inzwischen zwei Lauchzwiebeln kleinschneiden und nach fünf Minuten zu den Tomaten geben. Auch den Reis von gestern und die abgeschnittenen Tomatendeckel in den Topf rühren und alles fünf weitere Minuten erhitzen, bis die Eimasse gestockt ist. Mit Schnittlauch bestreuen und knapp zwei Teelöffel Öl darüberträufeln.

EXTRA
Pfirsichcreme

Einen Pfirsich kleinschneiden und mit einem Becher Magermilchjoghurt verrühren.

IMBISS
Gurkenjoghurt

Die restliche Salatgurke (etwa 250 g) schälen, raspeln und mit Salz und einem Becher Magermilchjoghurt verrühren. Ein halbes Bund Dill und ein Blatt Minze hacken und unterheben. Einen Teelöffel Öl darüberträufeln. Dazu gibt es zwei Scheiben Knäckebrot.

TIP FÜR 1500 KALORIEN: Die gefüllten Tomaten schmecken gut mit Schinken, den Parmesankäse einfach darüberstreuen. Abends gibt es die zwei Scheiben Knäckebrot mit Butter und Käse. Zwischendurch können Sie sich einen Marmeladenzwieback mit Sesamsamen machen und eine Banane essen.

Gefüllte Tomaten

Sonntag

ZUTATEN
(ca. 1000 Kalorien)

**125 g Rinderfilet
oder Beefsteak, 1 Ei,
¼ Ecke Schmelz-
käse (20 %),
2 ½ TL Öl,
1 Scheibe Voll-
kornbrot,
40 g Vollkornnudeln,
Gemüsebrühe
(Instant),
1 mittelgroßer Apfel,
1 kleine Banane,
1 frische Feige
(oder 1 Kiwi),
250 g Honigmelone
(etwas mehr als
eine halbe Melone),
1 Portion Blattsalat,
½ mittelgr. Kohlrabi,
2 Lauchzwiebeln
(½ Bund),
1 kleine Möhre,
Basilikum, Petersilie,
Knoblauch, Pfeffer,
Salz, Zitrone**

**500 KALORIEN
ZUSÄTZLICH:
25 g Rinderfilet,
1 TL Butter oder
Margarine,
1 TL Öl,
1 Scheibe Vollkorn-
knäckebrot,
40 g Vollkornnudeln,
1 Birne,
1 Grapefruit**

FRÜHSTÜCK
Spiegelei auf Käsebrot

Ein Ei in einem halben Teelöffel Öl braten, mit Salz und Pfeffer würzen. Eine halbe Scheibe Vollkornbrot mit einer viertel Ecke Schmelzkäse bestreichen und mit frischen Kräutern bestreuen.

EXTRA
Eine halbe Honigmelone

WARME MAHLZEIT
*Rinderfilet
mit Basilikumsoße (Foto)*

80 Gramm Vollkornnudeln in Salzwasser garen, die Hälfte davon ist für morgen mittag. Zwei Lauchzwiebeln, eine der Länge nach halbierte Möhre, Petersilie (nicht gehackt) und einen halben kleingeschnittenen Kohlrabi mit einem Viertelliter Gemüsebrühe fünf Minuten kochen. Zwei Rinderfilets dazugeben (à 125 g; das zweite Filet gibt es übermorgen) und weitere fünf bis acht Minuten bei geringer Wärme ziehen lassen. Inzwischen Basilikumblätter in sehr feine Streifen schneiden. Knoblauch mit Salz zerdrücken und beides mit einem Teelöffel Öl, Pfeffer, etwas geriebener Zitronenschale und Zitronensaft und ei-

nem Eßlöffel der Kochbrühe verrühren. Gemüse und ein Filet aus der Brühe nehmen und mit den Nudeln und der Soße auf einen vorgewärmten Teller geben.

EXTRA
Eine Banane

IMBISS
*Pikanter
Melonen-Feigen-Salat*

Aus einem Teelöffel Öl, Salz, Pfeffer, Zitronensaft und einem Eßlöffel Gemüsebrühe eine Soße rühren. Eine Portion Blattsalat mit einer kleingeschnittenen frischen Feige, den Spalten eines mittelgroßen Apfels, einem kleinen Stück Melone (50 g) und gehackter Petersilie mit der Soße mischen. Eine halbe Scheibe Vollkornbrot bröseln, in einer heißen Pfanne ohne Fett rösten und über den Salat streuen.

TIP FÜR 1500 KALORIEN: Rindfleisch und Nudeln gibt es mittags, zum Schluß einen Teelöffel Öl über das Gemüse geben. Abends können Sie zusätzlich eine Scheibe Knäckebrot mit Butter essen, zwischendurch Birne und Grapefruit.

*Rinderfilet
mit Basilikum-
soße*

Montag

ZUTATEN
(ca. 1000 Kalorien)

1 Becher Mager-
milchjoghurt,
200 g Dickmilch
(1,5 %),
¼ Ecke Schmelz-
käse (20 %),
3 TL Öl,
1 Scheibe Vollkorn-
brot, 2 EL Vier-Korn-
Flocken,
½ TL Honig,
Kaffeepulver (Instant),
etwa 100 g gekochte
Vollkornnudeln
(40 g Rohgewicht),
Gemüsebrühe
(Instant),
150 g Honigmelone
(knapp eine halbe
Melone),
½ kleine Dose
Kichererbsen (125 g),
½ Kohlrabi,
2 Lauchzwiebeln,
4 kleine Möhren,
2 kleine Tomaten,
Basilikum, frischer
Koriander,
Rosmarin, Zitronen-
melisse, Cayenne-
pfeffer, Pfeffer, Salz,
Zitrone

**500 KALORIEN
ZUSÄTZLICH:**
150 g Geflügelwurst,
1 Ei, 1 TL Öl,
1 EL Parmesankäse,
1 Apfel,
125 g Heidelbeeren

FRÜHSTÜCK
Melonenmüsli

Die restliche Honigmelone kleinschneiden, mit einem Becher Magermilchjoghurt und zwei Eßlöffel Vier-
Korn-Flocken mischen, etwas quellen
lassen und mit Zitronenmelisse bestreuen.

EXTRA
Kaffeedickmilch

Knapp einen halben Becher Dick-
milch (200 g) mit etwas Kaffeepulver
(Instant) und mit einem halben
Teelöffel Honig mischen.

WARME MAHLZEIT
Kichererbsen-Suppe
mit Rosmarin *(Foto)*

Eine halbe Dose Kichererbsen abtropfen lassen (die zweite Hälfte brauchen
Sie Mittwoch), das Gemüsewasser mit
Gemüsebrühe auf einen Viertelliter
auffüllen. Die Kichererbsen, zwei
kleingeschnittene Tomaten, eine Lauchzwiebel, einen kleinen Zweig Rosmarin und Cayennepfeffer zehn Minuten
kochen. Einige Erbsen mit der Gabel
etwas zerdrücken. Die gestern vorgekochten Vollkornnudeln (40 g Rohgewicht) und einen Teelöffel Öl dazugeben und erwärmen.

EXTRA
Möhrensalat
mit Koriander

Eine Lauchzwiebel sehr fein schneiden und drei Möhren grob raspeln.
Mit einem Teelöffel Öl, Zitronensaft
und ein wenig Zitronenschale, Salz,
Cayennepfeffer und frischem Koriander mischen.

IMBISS
Basilikumbrot
mit Rohkost

Eine Scheibe Vollkornbrot mit einer
viertel Ecke Schmelzkäse bestreichen
und mit Basilikumblättern belegen.
Einen halben Kohlrabi und eine Möhre raspeln, mit Salz, Pfeffer, Zitronensaft und einem Teelöffel Öl mischen
und zum Brot essen.

TIP FÜR 1500 KALORIEN: Die Geflügelwurst mittags in der Suppe erhitzen, über alles Parmesan streuen.
Ein hartgekochtes Ei abends mit dem
Rohkostsalat mischen, das Öl kommt
zum Möhrensalat. Statt Kaffeepulver
werden die Heidelbeeren in den
Joghurt gerührt. Zwischendurch gibt
es einen Apfel.

*Kichererbsen-
Suppe
mit Rosmarin*

Dienstag

ZUTATEN
(ca. 1000 Kalorien)

125 g gekochtes
Rinderfilet
(oder Rindersaft-
schinken),
2 EL Magerquark
(80 g),
4 TL Öl,
1 Scheibe Vollkorn-
brot, 1 Scheibe
Vollkornknäckebrot,
1 Vollkornzwieback,
1 TL Honig,
1 TL Sesamsamen,
Gemüsebrühe
(Instant),
2 TL Kapern,
1 Feige (oder Kiwi),
125 g Heidelbeeren,
1 Portion Blattsalat,
½ Fenchel,
3 mittelgroße
Kartoffeln,
1 Bund Radieschen,
3 kleine Tomaten,
Basilikum, Estragon,
glatte Petersilie,
Schnittlauch,
Streuwürze, Pfeffer,
Salz, Zitrone

500 KALORIEN
ZUSÄTZLICH:
50 g Rinderfilet,
½ Scheibe
Käse (45 %),
2 TL Butter oder
Margarine,
1 TL Öl,
½ Scheibe Voll-
kornbrot,
1 Grapefruit,
2 Kartoffeln

FRÜHSTÜCK
Quarkbrot
Eine Scheibe Vollkornbrot mit zwei
Eßlöffel Quark und einem Teelöffel
Öl bestreichen und mit Streuwürze
und frischen Kräutern bestreuen.

EXTRA
Honig-Sesam-Zwieback
Einen Vollkornzwieback mit einem
Teelöffel Honig dünn bestreichen und
mit einem Teelöffel Sesamsamen
bestreuen.

WARME MAHLZEIT
Rindfleisch mit Kapernsoße (Foto)
Vier Kartoffeln in Salzwasser garen
(eine davon essen Sie morgen). Das
gekochte Rinderfilet (vom Sonntag) in
hauchdünne Scheiben schneiden (etwa 25 Gramm fürs Abendessen
beiseite legen). Eine Portion Blattsalat
und ein Bund kleingeschnittene Radieschen mit Zitronensaft und Salz
würzen, auf einen Teller geben und
darauf das Fleisch ver-
teilen. Zwei Teelöffel
Kapern, Basilikum,

Petersilie, Schnittlauch und Estragon
fein hacken, mit wenig Zitronensaft,
zwei Eßlöffel Gemüsebrühe, Pfeffer
und zwei Teelöffel Öl verrühren. Kartoffeln und Rindfleischsalat auf einen
Teller geben und mit der Soße übergießen.

EXTRA
125 Gramm Heidelbeeren

IMBISS
Warmer Fenchel-Salat
Eine Scheibe Vollkornknäckebrot mit
einigen Basilikumblättern und 25
Gramm gekochtem Rindfleisch belegen. Eine halbe Fenchelknolle kleinschneiden und in drei Eßlöffel Gemüsebrühe im geschlossenen Topf
fünf Minuten dünsten. Drei Tomaten
und eine Feige (oder Kiwi) vierteln,
Fenchelgrün hacken und mit einem
Teelöffel Öl, Pfeffer, Zitronensaft und
geriebener Zitronenschale mit dem
Fenchel auf einem Teller anrichten.

TIP FÜR 1500 KALORIEN: Mittags
gibt es eine größere Portion Fleisch
und mehr Kartoffeln. Zum Schluß
einen Teelöffel Öl über den Rindfleischsalat geben. Das Käsebrot mit
Butter können Sie sich abends machen; mit einem Teelöffel Butter
den Honigzwieback bestreichen.
Die Grapefruit zwischendurch essen
oder in den Fenchelsalat mischen.

Rindfleisch
mit Kapernsoße

Mittwoch

ZUTATEN
(ca. 1000 Kalorien)

1 Ei,
8 EL Dickmilch,
(1,5 %, 120 g),
3 EL Magerquark
(120 g),
1 ½ TL Öl,
2 EL Vier-Korn-
Flocken,
2 EL Rundkorn-
Naturreis (30 g),
Gemüsebrühe
(Instant),
125 g Heidelbeeren,
50 g Weintrauben,
½ Fenchel,
1 mittelgr. Kartoffel,
125 g Kichererbsen
(½ Dose),
1 Lauchzwiebel,
1 gr. Paprikaschote,
1 kleine Tomate,
Minze, Schnittlauch,
Zitronenmelisse,
Knoblauch,
Korianderkörner,
Pfeffer, Piment,
Salz, Streuwürze,
Zitrone

500 KALORIEN
ZUSÄTZLICH:
4 Scheiben
Kasseler (80 g),
2 TL Butter oder
Margarine,
2 Scheiben Vollkorn-
knäckebrot,
1 Pfirsich,
200 g Pflaumen

FRÜHSTÜCK
Heidelbeermüsli
Zwei Eßlöffel Quark mit etwas geriebener Zitronenschale und 65 Gramm Heidelbeeren verrühren, dabei einige Beeren zerdrücken, und über alles zwei Eßlöffel Vier-Korn-Flocken streuen.

EXTRA
Heidelbeerquark
60 Gramm frische Heidelbeeren mit einem Eßlöffel Quark und Zitronenmelisse mischen.

WARME MAHLZEIT
Gemüsereis mit Minzsoße *(Foto)*
Sechs Eßlöffel Rundkornreis mit der dreifachen Menge Salzwasser, je einer Teelöffelspitze Korianderkörner und Piment 30 Minuten auf niedriger Wärmestufe kochen. Ein Drittel davon essen Sie heute, den Rest brauchen Sie morgen. Vier Eßlöffel Dickmilch mit wenig gehacktem Schnittlauch, Minze, Zitronensaft, einem halben Teelöffel Öl und Salz verrühren. 50 Gramm Weintrauben halbieren und entkernen, eine Tomate halbieren. Eine Lauchzwiebel und eine halbe Paprikaschote kleinschneiden und in einem heißen Topf (oder in einer Pfanne) ohne Fett anrösten. Die Tomate, die restlichen Kichererbsen (125 Gramm aus der Dose vom Montag) und knapp eine halbe Tasse Gemüsebrühe zufügen und fünf Minuten bei geschlossenem Deckel kochen. Ein Drittel vom gekochten Reis und die Weintrauben hinzugeben, unterrühren und alles zusammen mit der Joghurtsoße auf einem vorgewärmten Teller anrichten.

EXTRA
Kräuterei
Ein hartgekochtes Ei aufschneiden und mit Streuwürze und gehackten Kräutern bestreuen.

IMBISS
Salat mit Joghurt-Knoblauch-Soße
Je eine halbe Fenchelknolle und Paprikaschote und eine gekochte Kartoffel in möglichst dünne Scheiben schneiden und mit Salz bestreuen. Vier Eßlöffel Dickmilch mit zerdrücktem Knoblauch, Salz, Pfeffer, Zitronensaft und einem Teelöffel Öl verrühren und über den Salat geben. Mit frischen Kräutern bestreuen.

TIP FÜR 1500 KALORIEN: Die Scheiben Kasseler kalt zum Gemüsereis essen oder am Pfannenrand miterwärmen. Das Knäckebrot mit Butter gibt es abends oder zwischendurch. Pfirsich und Pflaumen sind weitere Extras.

**Gemüsereis
mit Minzsoße**

Donnerstag

ZUTATEN
(ca. 1000 Kalorien)

125 g Beefsteakhack,
50 g Magerquark,
1 EL Parmesankäse,
3 TL Öl,
1 Scheibe Voll-
kornbrot,
170 g gekochter
Rundkorn-Naturreis
(60 g Rohgewicht),
1 TL Sesamsamen,
1 TL Kürbiskerne,
Gemüsebrühe
(Instant),
1 kleine Banane,
125 g Weintrauben,
150 g grüne Bohnen,
5 kleine Tomaten,
1 kleine Zwiebel,
Koriander, glatte
Petersilie, Schnitt-
lauch, Thymian,
Pfeffer, Piment,
Rosenpaprika, Salz,
Zitrone

500 KALORIEN
ZUSÄTZLICH:
3 Scheiben Rind-
fleischsülze (60 g)
2 TL Öl, 30 g Rund-
korn-Naturreis,
1 Birne,
175 g Weintrauben

FRÜHSTÜCK
Kräuterquark mit Parmesan

Eine Scheibe Vollkornbrot mit dem restlichen Quark (etwa 50 g) bestreichen. Eine Tomate aufschneiden, auf das Brot legen und mit einem Eßlöffel Parmesankäse, frischen Kräutern und Pfeffer bestreuen.

EXTRA
Sesambanane

Bananenscheiben mit Zitronensaft beträufeln und einen Teelöffel Sesamsamen darüberstreuen.

WARME MAHLZEIT
Hackfleischröllchen mit Reis (Foto)

125 Gramm Beefsteakhack mit je einer Messerspitze Piment, Rosenpaprika, Salz, einem Teelöffel Zitronensaft, gehackter Petersilie und einer halben geriebenen Zwiebel verkneten. Kleine längliche Röllchen formen und in der Grill- oder Eisenpfanne ohne Fett braten. 300 Gramm geputzte Bohnen in Salzwasser zehn Minuten garen und abgießen – die Hälfte ist für morgen. Die restliche Zwiebel würfeln, eine Tomate vierteln. Zwiebelwürfel in drei Eßlöffel Gemüsebrühe aufkochen, die Hälfte vom vorgekochten Reis (von gestern, etwa 30 g Rohgewicht), dann die Tomatenwürfel und zum Schluß die gekochten Bohnen dazurühren. Zwei Teelöffel Öl zufügen. Über alles frischen Thymian streuen.

EXTRA
125 Gramm Weintrauben

IMBISS
Tomaten-Reis-Salat

Drei Tomaten kleinschneiden und zusammen mit dem restlichen gekochten Reis (30 g Rohgewicht), einem Teelöffel Öl, Zitronensaft, Salz, Pfeffer, Schnittlauch und frischem Koriander mischen und ziehen lassen. Einen Teelöffel Kürbiskerne darüberstreuen.

TIP FÜR 1500 KALORIEN: Mittags gibt es die doppelte Portion Reis (zwei Eßlöffel Reis zusätzlich aufsetzen). Den Tomatensalat mit drei Scheiben gewürfelter Sülze mischen, das zusätzliche Öl darüberträufeln. Zwischendurch können Sie das Obst essen.

Hackfleischröllchen mit Reis

Freitag

ZUTATEN
(ca. 1000 Kalorien)

150 g Rotbarschfilet,
1 EL Parmesankäse,
3 ½ TL Öl,
1 Roggenbrötchen,
1 Scheibe Vollkorn-
brot, 2 EL Vier-Korn-
Flocken, Gemüse-
brühe (Instant),
1 mittelgr. Apfel,
1 kleine Banane,
250 g Himbeeren,
1 Kiwi,
50 g Weintrauben,
1 Portion Blattsalat,
150 g grüne Bohnen,
1 Lauchzwiebel,
2 kleine Möhren,
2 kleine Tomaten,
1 mittelgr. Zucchino,
Kresseblätter und
-blüten (Brunnen-
oder Kapuziner-
kresse), Thymian,
Cayennpfeffer,
Knoblauch, Pfeffer,
Safran, Salz,
Zitrone

**500 KALORIEN
ZUSÄTZLICH:**
50 g Krabbenfleisch,
1 Scheibe geräucher-
ter Lachs (50 g),
1 EL Parmesankäse,
2 TL Butter oder
Margarine,
½ Roggenbrötchen,
1 Vollkornzwieback,
1 TL Honig,
1 Banane

FRÜHSTÜCK
Obstsalat
Eine Banane kleinschneiden, 50 Gramm Weintrauben halbieren und mit 125 Gramm Himbeeren mischen. Zwei Eßlöffel Vier-Korn-Flocken darüberstreuen. Die Früchte etwas zerdrücken.

EXTRA
Tomaten-Brötchen
Ein halbes Roggenbrötchen mit einem halben Teelöffel Öl bestreichen, mit einer in Scheiben geschnittenen Tomate belegen und mit frischen Kräutern, Salz und Pfeffer würzen. Dazu eine kleine Möhre essen.

WARME MAHLZEIT
Safran-Fischtopf *(Foto)*
Je eine Lauchzwiebel, Zucchino und Möhre in Scheiben schneiden und mit einem Viertelliter Gemüsebrühe fünf Minuten kochen. Die Brühe mit einer Prise Safran, Cayennpfeffer, einem Stück Zitronenschale und einer durchgepreßten

Knoblauchzehe würzen. 150 Gramm Rotbarschfilet und eine Portion Blattsalat kleinschneiden, in die Suppe geben und weitere vier Minuten bei niedriger Temperatur garen. Den Fischtopf mit zwei Teelöffel Öl verrühren und mit einem Eßlöffel Parmesankäse und frischer Kresse – wenn Sie haben, auch mit Kresseblüten – bestreuen. Dazu gibt es ein halbes Roggenbrötchen.

EXTRA
Himbeer-Apfel-Salat
125 Gramm Himbeeren mit einem geraspelten Apfel und einer kleingeschnittenen Kiwi mischen.

IMBISS
Grüne-Bohnen-Salat
Eine Tomate fein würfeln, mit etwas Zitronensaft, gehacktem Knoblauch, einem Teelöffel Öl und Salz gut verrühren und mit 150 Gramm gekochten grünen Bohnen (von gestern) mischen. Thymian und Pfeffer darüberstreuen. Dazu gibt es eine Scheibe Vollkornbrot.

TIP FÜR 1500 KALORIEN: Die Butter mittags auf die beiden Brötchenhälften verteilen. In die Fischsuppe die Krabben und einen zusätzlichen Eßlöffel Parmesan rühren. Abends das Vollkornbrot mit einer Scheibe Lachs belegen, zwischendurch gibt es Banane und Honigzwieback.

Safran-Fischtopf

Samstag

ZUTATEN
(ca. 1000 Kalorien)

1 Ei, 180 g Dick-
milch (1,5 %),
1 Becher Mager-
milchjoghurt,
1 Ecke Schmelz-
käse (20 %),
2 ½ TL Öl,
1 Roggenbrötchen,
1 Scheibe Vollkorn-
knäckebrot,
40 g Vollkornnudeln,
1 mittelgr. Apfel,
1 mittelgr. Birne,
75 g Weintrauben,
1 Portion Blattsalat,
2 Knollen rote Bete,
4 kleine Tomaten,
1 mittelgr. Zucchino,
Dill, Minze,
Petersilie,
Schnittlauch,
Knoblauch, Pfeffer,
Rosenpaprika,
Salz, Zitrone

500 KALORIEN
ZUSÄTZLICH:
1 Becher Frucht-
joghurt, 1 Scheibe
Käse (45 %),
1 TL Butter oder
Margarine, 1 TL Öl,
40 g Vollkornnudeln,
1 Birne

FRÜHSTÜCK
Käsebrötchen mit Tomate
Eine Ecke Schmelzkäse auf zwei Rog-genbrötchenhälften streichen. Eine Tomate in Scheiben schneiden, drauf-legen und mit gehackten Kräutern bestreuen. Dazu einen Becher Joghurt essen.

EXTRA
Trauben-Apfel-Salat
75 Gramm Weintrauben halbieren und mit einem geraspelten Apfel mi-schen. Zitronensaft darüberträufeln.

WARME MAHLZEIT
Zucchini-Fladen mit Dickmilchsoße (Foto)
40 Gramm Vollkornnudeln in Salz-wasser garen. Einen Zucchino raspeln und mit Salz und Rosenpaprika wür-zen. Petersilie, Schnittlauch, etwas Dill und ein Blatt Minze hacken und mit einem Ei vermengen. Eine große Pfanne erhitzen, zwei Teelöffel Öl ver-teilen und mit dem Eßlöffel etwa fünf Zucchini-Fladen nebeneinander set-zen. Mit einem Spatel wenden, wenn sie fest sind. Drei Tomaten klein-schneiden und mit Salz und Pfeffer würzen, dazu anrichten. Dickmilch (180 g) mit Salz und etwas gepreßtem Knoblauch verrühren. Die Hälfte davon für heute abend aufbewahren.

EXTRA
Eine Birne

IMBISS
Rote-Bete-Salat
Zwei Knollen rote Bete schälen, klein-schneiden und in einer halben Tasse Salzwasser mit Zitronensaft im fest verschlossenen Topf etwa zehn Minu-ten garen. Abkühlen lassen. Die rest-liche gewürzte Dickmilch von heute mittag unterheben und alles auf einer Portion Blattsalat anrichten. Mit einem halben Teelöffel Öl beträufeln und mit Petersilie bestreuen. Dazu gibt es eine Scheibe Vollkornknäckebrot.

TIP FÜR 1500 KALORIEN: Mittags die doppelte Menge Nudeln kochen, die abgegossenen Nudeln mit Öl be-träufeln. Das Knäckebrot am Abend mit Butter bestreichen und mit Käse belegen. Zwischendurch gibt es Jo-ghurt und eine Birne.

Zucchini-Fladen
mit Dickmilchsoße

Das sollten Sie im Hause haben:

Essig

Gemüsebrühe (Instant)

Hirse

Honig

Kaffeepulver (Instant)

Kapern, Kichererbsen

(1 kl. Dose, ca. 250 g)

Knoblauch (frisch)

Koriander (gemahlen

und -samen)

Kräuter (frisch)

Kürbiskerne

Kumin

Lorbeer

Mineralwasser

Marmelade

Muskat

Öl (Sonnenblumenöl oder

kalt gepreßtes Olivenöl)

Oliven (mit Paprika

gefüllt)

Parmesankäse

Pfeffer (schwarz)

Piment (gemahlen)

Rosenpaprika

Rundkorn-Naturreis

Safran

Salz

Sesamsamen

Sonnenblumenkerne

Streuwürze

Vier-Korn-Flocken

Vollkornknäckebrot,

-nudeln, -zwieback

Weiße Bohnen

(1 kl. Dose, ca. 250 g)

Zimt (gemahlen)

Zitrone (unbehandelt)

Zwiebeln

Einkaufsliste für die frischen Zutaten

FISCH UND FLEISCH	Beefsteakhack (Gramm)
	Hähnchenbrustfilet (1 Stück, 90 g)
	Parmaschinken (Gramm)
	Rinderfilet (Gramm)
	Lengfischfilet (Gramm)
	Rotbarschfilet (Gramm)
BROT, MILCH UND EIER	Eier (1 Stück, Gewichtsklasse M)
	Dickmilch (1 Becher, 500 g, 1,5 %)
	Magermilchjoghurt (1 Becher, 150 g)
	Magerquark (1 Paket, 250 g)
	Körniger Frischkäse (1 Becher, 200 g)
	Schmelzkäse (1 Ecke, 62 g, 20 %)
	Schnittkäse (1 Scheibe, 20 g, 45 %)
	Roggenbrötchen (1 Stück, 40 g)
	Vollkornbrot (1 Scheibe, 50 g)
OBST UND GEMÜSE	Apfel (mittelgroß, 100 g)
	Banane (klein, 100 g)
	Birne (mittelgroß, 175 g)
	Feige (Stück)
	Heidelbeeren (TK-Paket, 250 g)
	Himbeeren (TK-Paket, 250 g)
	Honigmelone (Gramm)
	Kiwi (Stück, 100 g)
	Pfirsich (Stück)
	Pflaumen (Gramm)
	Weintrauben (Gramm)
	Aubergine (Stück, 250 g)
	Blattsalat (1 Portion, 50–100 g)
	Blattspinat (Gramm)
	Bohnen, grüne (Gramm)
	Fenchel (mittelgroß, 200 g)
	Kartoffeln (mittelgroß, 75 g)
	Kohlrabi (mittelgroß, 200 g)
	Lauchzwiebeln (mittelgroß)
	Möhren (klein, 50 g)
	Paprikaschote (groß, 200 g)
	Radieschen (1 Bund)
	Rote Bete (Gramm)
	Salatgurke (mittelgroß, 500 g)
	Tomate (klein, 50 g)
	Tomate (mittelgroß, 100 g)
	Zucchini (klein, 125 g)

So	Mo	Di	Mi	Do	Fr	Sa	So	Mo	Di	Mi	Do	Fr	Sa
											125		
1													
				40									
							125		125				
					125								
												150	
1			1			1	1			1			1
								200		120			180
	2	2	1	1		3		1					1
									80	120	50		
		60	100	40									
						½	¼	¼					1
1	1	1		1	1								
1				1		1						1	1
	1	1	1	1	1		1	1	1		1	1	
			2			2	1					1	1
				1	1		1				1	1	
		1											1
						1	1		1				
									125	125			
											250		
							250	150					
											1		
					1	1							
	200		100		100								
200	50	75							50	125	50		75
		1	1										
1							1		1			1	1
				100									
											150	150	
½	½								½	½			
3	1								3	1			
							½	½					
						2	2	2		1		1	
	3			2			1	4				2	
			1		1								
									1				
													200
				100	100	300							
1	3	3	3		8			2	3	1	5	2	4
						2							
	1											1	1

*Asiatische
Reispfanne mit Rinderfilet
und Paprika
(Rezept siehe Seite 116)*

Rezepte zum Aussuchen

Bierschinken
mit Sauerkraut

Fleisch

**Eine Portion
ca. 400 Kalorien**

1 Lauchzwiebel,
1 knappe Tasse
Gemüsebrühe
(Instant), Majoran,
1 Lorbeerblatt,
½ kleine Dose
Sauerkraut (ca.140 g),
1 kl. Mandarine (50 g),
½ Birne (90 g),
4 Scheiben
Bierschinken (80 g),
5 EL Kartoffelpüree-
flocken mit Milch,
etwas Stauden-
sellerie

Bierschinken mit Sauerkraut (Foto)

Lauchzwiebel in feine Ringe schneiden und in der Brühe mit Majoran und Lorbeerblatt aufkochen. Sauerkraut zufügen und zugedeckt etwa sieben Minuten garen.

Mandarine und Birne in Spalten teilen und für weitere fünf Minuten auf das Kraut legen. Bierschinken in einer Pfanne ohne Fett braten.

Salzwasser erhitzen und Kartoffelpüreeflocken und gehackten Staudensellerie einrühren. Alles auf einem vorgewärmten Teller anrichten.

TIP: Die Mandarine kann durch drei bis vier Orangenspalten ersetzt werden, der Schnittsellerie durch gehackte Petersilie.

Paprika-Hähnchen mit Bohnengemüse

**Eine Portion
ca. 400 Kalorien**

2 mittelgroße
Kartoffeln (150 g),
Salz, 1 Hähnchen-
brustfilet (90 g),
Zitronensaft,
Cayennepfeffer,
Edelsüß-Paprika,
150 g dicke Bohnen
(ausgepalt),
Bohnenkraut,
Pfeffer,
1 Tasse Gemüse-
brühe (Instant),
½ Apfel (50 g),
½ TL Öl,
Petersilie

Kartoffeln in Salzwasser garen (oder vorgekochte Kartoffeln mit dem Hähnchenfilet zum Aufwärmen auf die Bohnen geben). Hähnchenbrustfilet mit Zitronensaft, Salz, Cayennepfeffer und Paprikapulver einreiben und ziehen lassen. Bohnen mit etwas Bohnenkraut und Pfeffer fünf Minuten in der Gemüsebrühe kochen.

Die Apfelhälfte in Spalten schneiden, mit dem Hähnchenfilet auf die Bohnen legen und etwa sieben Minuten auf niedriger Stufe garen. Zum Schluß einen halben Teelöffel Öl, Bohnenkraut und Petersilie unter das Gemüse rühren.

TIP: Im Frühjahr frisch ausgepalte Bohnen und neue Kartoffeln mit Scha-le für dieses Gericht nehmen. Die Kartoffeln lassen sich am besten mit einem Plastik-Topfkratzer säubern.

Um etwa 150 Gramm ausgepalte dicke Bohnen zu bekommen, brauchen Sie rund 500 Gramm Bohnen in Schoten.

Hähnchenrisotto mit Backobst (Foto)

Backobst mit den Koriandersamen langsam in der Brühe aufkochen. Obst herausnehmen und beiseite legen. Die Möhre würfeln, Lauchzwiebel kleinschneiden. Das Lauchgrün zum Backobst legen.

Gemüse mit dem Reis in die Brühe geben, aufkochen und auf niedriger Wärmestufe fest verschlossen etwa 35 Minuten garen lassen. Ab und zu umrühren und eventuell etwas Flüssigkeit nachgießen.

In der Zwischenzeit die Hähnchenkeule mit Salz und Cayennepfeffer einreiben, mit einem Eßlöffel Wasser in die kalte Pfanne legen. Von allen Seiten auf mittlerer Wärmestufe braten und das herausbrutzelnde Fett abgießen.

Kurz bevor das Risotto gar ist, Lauchgrün und Backobst hinzufügen und

**Eine Portion
ca. 400 Kalorien**

3 Aprikosen
(getrocknet,
ungeschwefelt),
3 Pflaumen
(getrocknet,
ungeschwefelt),
1 TL-Spitze
Koriandersamen,
1 Tasse Gemüse-
brühe (Instant),
1 kleine Möhre (50 g),
1 Lauchzwiebel,
2 EL Naturreis (30 g),
1 Hähnchen-
keule (125 g), Salz,
Cayennepfeffer,
frischer Koriander

**Hähnchenrisotto
mit Backobst**

erwärmen lassen. Das Gericht mit Koriandergrün bestreuen.

TIP: Frischer Koriander kann durch glatte Petersilie ersetzt werden. Überlegen Sie, ob Sie gleich zwei Hähnchenkeulen braten: Dann könnten Sie das Fleisch als Brotbelag mitverwenden.

Tomatensuppe mit Kalbsbratwurstklößchen

Zwiebel würfeln, zusammen mit den Tomaten im offenen Topf etwa fünfzehn Minuten einkochen. Mit Salz, Cayennepfeffer und sehr wenig Oregano würzen. Aus Bratwurstbrät kleine Klößchen in die Suppe geben, zwei Minuten mitkochen. Gekochten Reis zufügen, erhitzen und nachwürzen. Joghurt mit der in Scheiben geschnittenen Knoblauchzehe, Salz, Zitronenschale und gehacktem Basilikum mischen und direkt vor dem Essen in die Suppe rühren, nicht mehr kochen.

TIP: Wer keinen vorgekochten Reis hat: Drei Eßlöffel ungekochten Reis zusammen mit den geschälten Tomaten, Zwiebeln und den Gewürzen zugedeckt etwa 35 Minuten kochen. Dann wie beschrieben fortfahren.

Zitronensteak mit Brot und Maissalat

Chicorée kleinschneiden und mit dem abgetropften Zuckermais, etwas Gemüsewasser, einem Eßlöffel Zitronensaft, Salz, Paprikapulver und den Petersilienblättern mischen.
Eine Eisen- oder Grillpfanne inzwischen erhitzen, das Hackfleisch flachdrücken und auf jeder Seite eine Minute braten oder grillen. Mit Salz, Pfeffer, etwas Zitronensaft und geriebener Zitronenschale würzen und das Öl darüberträufeln. Vollkorn-

Eine Portion
ca. 400 Kalorien

1 Zwiebel, 1 kleine Dose geschälte Tomaten (230 g), Salz, Cayennepfeffer, Oregano, 50 g Kalbsbratwurstbrät (ungebrüht), 150 g gekochter Naturreis (45 g Rohgewicht), 1/2 Becher Magermilchjoghurt (75 g), 1 Knoblauchzehe, geriebene Zitronenschale, 1 kleines Bund frisches Basilikum

Eine Portion
ca. 400 Kalorien

100 g Chicorée, 100 g Zuckermais aus der Dose, 1 1/2 EL Zitronensaft, Salz, Rosenpaprika, glatte Petersilie, 75 g Beefsteakhack, schwarzer Pfeffer, ger. Zitronenschale, 1 TL Öl, 1 Scheibe Vollkornbrot (50 g), 1 Knoblauchzehe, 2 TL Tomatenmark, Schnittlauch

brotscheibe toasten, mit der aufgeschnittenen Knoblauchzehe abreiben und mit Tomatenmark bestreichen. Darüber Schnittlauchröllchen streuen.

Geflügelleber mit roter Bete und Nudeln

Rote Bete schälen, in fingerdicke Scheiben schneiden, die Zwiebel vierteln und in einer halben Tasse Brühe mit Koriandersamen, Orangenschale und Curry fünf Minuten weichkochen. Einen halben Teelöffel Öl dazu rühren. Geputzte Geflügelleber mit Salz würzen. Eine Pfanne erhitzen, mit Öl ausstreichen und die Leber etwa sieben Minuten darin unter häufigem Wenden braten. Mit Pfeffer bestreuen und warmstellen.
Eine halbe Tasse Brühe in der Pfanne stark einkochen lassen, gekochte Nudeln in dem Sud schwenken und erhitzen, mit Kräuterblättern mischen und mit dem gekochten Gemüse und der gebratenen Geflügelleber auf einen Teller geben.

TIP: Rote Bete aus dem Glas braucht nur im eigenen Gemüsewasser erhitzt und etwas nachgewürzt zu werden. Sie schmeckt aber längst nicht so gut wie frischgekochte.

Apfel, Bohnen und Kasseler

Brühe mit etwas Thymian aufkochen. Bohnen putzen, Kartoffeln schälen (wenn sie älter sind, sonst nur kräftig bürsten) und vierteln. Zwiebeln ebenfalls vierteln. Das Gemüse und den geschnittenen Apfel in den Topf geben, sieben bis zehn Minuten kochen. Kasseler kurz zum Erhitzen obenauf legen. Herausnehmen und auf einem Teller anrichten.

Eine Portion
ca. 400 Kalorien

1 große Knolle rote Bete (200 g), 1 Zwiebel, 1 Tasse Gemüsebrühe (Instant), 1 TL-Spitze Koriandersamen, 1 TL-Spitze ger. Orangenschale, 1 Messerspitze Curry, 1 TL Öl, 100 g Geflügelleber, Salz, schw. Pfeffer, 75 g gekochte Vollkornnudeln (30 g Rohgewicht), Kräuter (Petersilie, Thymian)

Eine Portion
ca. 400 Kalorien

1 Tasse Gemüsebrühe (Instant), 1 Bund Thymian, 150 g grüne Bohnen, 2 mittelgr. Kartoffeln (150 g), 2 Zwiebeln, 1 Apfel (100 g), 3 Scheiben Kasseler Aufschnitt (60 g), Zitronensaft nach Geschmack, schwarzer Pfeffer

*Schweineschnitzel
mit Spinat
und roten Linsen*

Brühe bei starker Hitze etwas einkochen lassen, mit wenig Zitronensaft nachwürzen und über das Essen geben. Frische Thymianblättchen und Pfeffer darüberstreuen.

TIP: Schmeckt auch sehr gut mit tiefgekühlten Bohnen. Thymian kann durch Bohnenkraut ersetzt werden.

Schweineschnitzel mit Spinat und roten Linsen (Foto)

Eine Brühe aus Knoblauch, Zitronensaft und Zitronenschale, Kumin, Zimt, Salz und einer halben Tasse Wasser kochen. Den in Scheiben geschnittenen Zucchino und die Linsen in der Brühe etwa sieben Minuten kochen, Flüssigkeit dabei verdampfen lassen. Spinat waschen, zu den Linsen geben und nur kurz zusammenfallen lassen. Auf einem vorgewärmten Teller warmhalten. Gemüsesud bis auf drei Eßlöffel einkochen.

Eine Pfanne erhitzen. Schweineschnitzel salzen und auf jeder Seite eine halbe Minute braten oder grillen. Mit Pfeffer würzen.

Gemüsesud in die Pfanne gießen und mit dem Fleisch einmal aufkochen. Darüber Öl träufeln, mit Sesamsamen und Thymian bestreuen und zum Gemüse geben. Dazu: ein Brötchen.

*Eine Portion
ca. 400 Kalorien*

**1 Knoblauchzehe,
2 EL Zitronensaft,
ger. Zitronenschale,
je eine Messerspitze
Kumin (Kreuzkümmel) und Zimt, Salz,
1 kl. Zucchino (125 g),
2 EL rote kleine Linsen (20 g),
150 g Blattspinat,
100 g Schweineschnitzel (sehr dünn
geschnitten),
schw. Pfeffer, 1 TL Öl,
1 TL Sesamsamen,
Thymian,
1 großes Vollkornbrötchen (60 g)**

Fisch

Forelle mit Kartoffel-Fenchel-Gemüse (Foto)

**Eine Portion
ca. 400 Kalorien**

Salz, 1 Zwiebel,
1 Lorbeerblatt,
2 Pimentkörner,
6 Pfefferkörner,
2-3 Zitronenscheiben, 1 Fenchelknolle
(200 g),
2 mittelgroße Kartoffeln (150 g),
3 EL Gemüsebrühe
(Instant),
1 kl. Forelle (250 g
brutto), Kräuter
(Schnittlauch, glatte
Petersilie),
schwarzer Pfeffer,
1 TL Öl, 1 TL Senf,
1 EL Zitronensaft

In einem länglichen Topf kräftig gesalzenes Wasser (soviel, daß der Fisch später bedeckt ist) mit der abgezogenen und aufgeschnittenen Zwiebel, dem Lorbeerblatt, Piment- und Pfefferkörnern, Zitronenscheiben und Fenchelgrün mindestens fünf Minuten sprudelnd kochen lassen.

Inzwischen die Fenchelknolle und die Kartoffeln kleinschneiden, in der Gemüsebrühe erhitzen und fest zugedeckt auf mittlerer Wärmestufe zehn Minuten garen. Den Topf zwischendurch schütteln, damit nichts ansetzt.

Die Forelle in den kochenden Sud legen und auf ausgeschalteter Herdplatte oder auf niedrigster Wärmestufe sieben Minuten ziehen lassen.

Gemüse und abgetropften Fisch auf einem vorgewärmten Teller anrichten und mit gehackten Kräutern und Pfeffer bestreuen. Öl, Senf und Zitronensaft verrühren. Nach dem Ablösen der Haut über den Fisch träufeln.

TIP: Wenn Sie keinen länglichen Fischtopf besitzen, garen Sie die Forelle in Küchenfolie verpackt 15 Minuten im Backofen bei 200 Grad (Gas: Stufe 3). Weitere fünf Minuten im ausgeschalteten, geöffneten Ofen garziehen lassen.

Matjesfilet mit Apfel-Radieschen-Salat und Kartoffeln

**Eine Portion
ca. 400 Kalorien**

3 mittelgroße Kartoffeln (225 g), Salz,
½ Bund Radieschen,
½ mittelgroßer
Apfel (50 g),
1 kleine Zwiebel,
glatte Petersilie,
Dill, Zitronensaft,
Gemüsebrühe
(Instant), 1 frisches
Matjesfilet,
schwarzer Pfeffer

Neue Kartoffeln sauber bürsten, in Salzwasser garen und abgießen. Die Schale wird mitgegessen. Ältere Kartoffeln vor dem Essen abziehen.

Inzwischen Radieschen, Apfel und Zwiebel würfeln, Petersilie und Dill fein hacken. Mit je zwei Eßlöffel

Forelle mit Kartoffel-Fenchel-Gemüse

Zitronensaft und warmer Gemüse-brühe mischen. Ein Matjesfilet auf einen Teller legen, den Salat darüber häufen und kühlstellen. Vor dem Servieren die Kartoffeln dazugeben und alles mit Pfeffer bestreuen.

Gemüse-Fischtopf

Suppengrün und Paprikahälfte fein würfeln und in kalter Gemüsebrühe mit Safran, Dillsamen, Cayennepfeffer, Lorbeerblatt, Zitronensaft und Orangenschale (ersatzweise Zitronenschale) zum Kochen bringen. Fünf Minuten auf mittlerer Wärmestufe weiterkochen.
Fischfilet würfeln, leicht salzen und pfeffern, Tomaten achteln. In die heiße Suppe geben und eine Minute auf niedrigster Wärmestufe zugedeckt erhitzen.
Vollkornbrot toasten. Knoblauch zerdrücken und mit Öl, Parmesankäse, Pfeffer und einem Basilikumblatt vermischen. Auf das Brot streichen und in einen tiefen Teller legen. Eintopf auf das Brot füllen und heiß essen.

TIP: Kleine Safranmengen gibt's in der Apotheke.

Paprikafisch auf Gurken-Dill-Gemüse

Einen Topf erhitzen. Zwiebel hacken, in den heißen Topf rühren und ohne Fett anschwitzen. Kartoffeln und Möhre in zentimetergroße Würfel schneiden, für eine Minute dazurühren, bis ein angenehmer Duft aufsteigt, dann die Brühe zugießen und bei starker Hitze zugedeckt vier Minuten kochen.
Gurke schälen, würfeln und zum Gemüse geben und bei starker Hitze weitere fünf Minuten ohne Deckel einkochen lassen. Zwischendurch

umrühren. Fischfilet auf beiden Seiten mit Streuwürze und Paprikapulver würzen, auf das Gemüse setzen und je nach Dicke des Filets drei bis fünf Minuten garen.
Fischfilet auf einen vorgewärmten Teller legen, einen Teelöffel Öl darüberträufeln. Gemüse mit gehacktem Dill, Pfeffer und restlichem Öl verrühren und zum Fisch anrichten.

TIP: Die restliche Gurke kann zur Gurkensuppe (s. S. 195) oder zu Salat verarbeitet werden.

Kapernfisch auf Gemüsebett (Foto)

Gewaschenes Gemüse in Stifte oder Spalten schneiden, mit der Brühe in einen Topf geben, mit Cayennepfeffer würzen und fünf Minuten kochen.
Inzwischen das Fischfilet salzen, mit gehackter Petersilie, Pfeffer, geriebener Zitronenschale und Kapern bestreuen. Auf das Gemüse legen und zugedeckt weitere fünf Minuten auf mittlerer Wärmestufe garen.
Gemüse und Fisch auf einen vorgewärmten Teller legen, abdecken. Den Sud bei starker Hitze etwas einkochen, Öl zufügen und auf den Fisch träufeln.

Eine Portion
ca. 400 Kalorien

½ Bund Suppengrün (125 g), ½ Paprikaschote (75 g), ¼ l Gemüsebrühe (Instant), 1 Messerspitze Safran, 1 TL-Spitze Dillsamen, Cayennepfeffer, 1 kl. Lorbeerblatt, 2 EL Zitronensaft, 1 St. Orangenschale, 125 g mageres Fischfilet (Leng-, Rotbarsch- oder Seelachsfilet), Salz, schwarzer Pfeffer, 2 kl. Tomaten (100 g), 1 Scheibe Vollkornbrot (50 g), 2 TL Öl, 1 Knoblauchzehe, 1 EL Parmesankäse, 1 Basilikumblatt

---

Eine Portion
ca. 400 Kalorien

1 Zwiebel, 3 mittelgr. Kartoffeln (225 g), 1 kl. Möhre (50 g), 1 Tasse Gemüsebrühe (Instant), 250 g Gurke (Salat- oder Schmorgurke), 100 g mageres Fischfilet (Leng-, Rotbarsch- oder Seelachsfilet), Streuwürze, Edelsüß- und Rosenpaprika, 2 TL Öl, 1 Bund Dill, schwarzer Pfeffer

---

Kapernfisch auf Gemüsebett

Eine Portion
ca. 400 Kalorien

½ Fenchelknolle (100 g), 3 mittelgr. Kartoffeln (225 g), 1 kl. Möhre (50 g), 1 Lauchzwiebel, 1 Tasse Gemüsebrühe (Instant), Cayennepfeffer, 100 g mageres Fischfilet (Leng-, Rotbarsch- oder Seelachsfilet), Salz, glatte Petersilie, schwarzer Pfeffer, Zitronenschale, 2 TL Kapern, 2 TL Öl

Kräuterkartoffeln

Kartoffeln

Kalorien:

1 kleine Kartoffel
(50 g) = ca. 35 Kal.;
1 mittelgr. Kartoffel
(75 g) = ca. 52 Kal.;
1 große Kartoffel
(100 g) = ca. 70 Kal.

Kartoffeln sind für uns keine Selbstverständlichkeit. Trotzdem: Hier beschreiben wir noch einmal die beste Methode, um sie weich zu kriegen. Kartoffeln waschen, in einen Topf geben, mit kaltem Wasser bedecken, salzen und zugedeckt zum Kochen bringen. Wärme reduzieren und etwa 20 Minuten auf mittlerer Wärmestufe kochen. Garprobe: Mit einem spitzen Messer prüfen, ob es sich ohne Widerstand einstechen läßt. Weil die wichtigsten Nährstoffe bei Kartoffeln direkt unter der Schale sitzen, essen Sie sie so oft wie möglich als Pellkartoffeln.

Kräuterkartoffeln (Foto)

*Eine Portion
ca. 400 Kalorien*

4 mittelgroße
Kartoffeln (300 g),
1 Tasse Gemüse-
brühe (Instant),
frische Kräuter
(Schnittlauch,
Petersilie, Dill),
1 TL Butter oder
Margarine,
schwarzer Pfeffer,
3 Scheiben Geflügel-
Bierschinken (60 g),
2 kl. Tomaten (100 g),
Streuwürze,
Zitronensaft

Alte Kartoffeln schälen, neue Kartoffeln nur sorgfältig waschen, achteln und mit ihrer Schale in Gemüsebrühe auf mittlerer Wärmestufe etwa zehn Minuten im geschlossenen Topf garen. Kräuter hacken. Zusammen mit der Butter und dem Pfeffer in den Topf geben. Kartoffeln mit einem Kartoffelstampfer oder einer großen Gabel zerdrücken.
Bierschinken ohne Fett in einer heißen Pfanne oder Grillpfanne rösten. Tomaten in Scheiben schneiden, auf einen Teller legen, mit Streuwürze, Pfeffer und wenig Zitronensaft würzen. Kräuterkartoffeln und gebratenen Bierschinken dazu anrichten.

TIP: Die Kräuterkartoffeln allein, ohne Geflügel-Bierschinken und Tomaten, haben etwa 300 Kalorien.

Kartoffeleintopf mit Würstchen

Kartoffeln schälen, Suppengrün putzen. Gemüse würfeln oder in Scheiben schneiden und mit Brühe, kleinem Lorbeerblatt und einem Zweig Bohnenkraut aufkochen, zehn Minuten auf mittlerer Wärmestufe zugedeckt garen. Würstchen kleinschneiden und weitere drei Minuten kochen. Mit Salz und Pfeffer würzen. Etwas Bohnenkraut und Petersilie hacken und unter den fertigen Eintopf rühren.

TIP: Wenn Sie den Eintopf ohne Würstchen kochen, kommen Sie auf etwa 200 Kalorien.

Majorankartoffeln

Den Apfel in Spalten und die Zwiebel in Ringe schneiden und in der Gemüsebrühe mit einem Zweig Majoran fünf Minuten zugedeckt dünsten.
Die gekochten Kartoffeln achteln und für weitere drei Minuten zum Erhitzen mit in den Topf geben.
Schinken fein würfeln und in einer Pfanne ohne Fett rösten. Salatblätter in feine Streifen schneiden, auf einem Teller ausbreiten. Butter oder Margarine unter die Majorankartoffeln rühren, mit Salz und Pfeffer würzen.
Alles auf die Salatstreifen füllen und mit frischen Majoranblättern und den gerösteten Schinkenwürfeln bestreuen.

TIP: Statt Butter oder Margarine kann kaltgepreßtes Öl verwendet werden.

*Eine Portion
ca. 400 Kalorien*

3 mittelgroße
Kartoffeln (225 g),
1/2 Bund Suppengrün
(ca. 125 g Gemüse),
1/4 l Gemüsebrühe
(Instant), 1 kleines
Lorbeerblatt,
frisches Bohnenkraut,
1 Wiener Würst-
chen (70 g), Salz,
schwarzer Pfeffer,
glatte Petersilie

*Eine Portion
ca. 400 Kalorien*

1 mittelgroßer
Apfel (100 g),
1 Lauchzwiebel,
1/2 Tasse Gemüse-
brühe (Instant),
Majoran (frisch
oder getrocknet),
3 mittelgr. gekochte
Kartoffeln (225 g),
2 Scheiben magerer
gek. Schinken (40 g),
1 Portion Blattsalat,
2 TL Butter oder
Margarine, Salz,
schwarzer Pfeffer

Eine Portion
ca. 400 Kalorien

4 mittelgroße
Kartoffeln (300 g),
Kümmel, 100 g Dick-
milch (fettarm),
2 TL Öl,
2 EL Zitronensaft,
Zitronenschale,
Knoblauch, Salz,
Cayennepfeffer,
100 g Champignons,
150 g Blattspinat,
Streuwürze,
schwarzer Pfeffer,
2 TL Sonnenblumen-
kerne

Kümmelkartoffeln mit Spinat

Sauber gebürstete Kartoffeln halbieren, die Schnittfläche mit Kümmel bestreuen, in den kalten Ofen schieben und bei 250 Grad (Gas: Stufe 3) 30 bis 35 Minuten garen.
Dickmilch mit Öl, einem Eßlöffel Zitronensaft und etwas geriebener Zitronenschale, gehacktem Knoblauch, Salz und Cayennepfeffer verrühren.
100 Gramm Champignons halbieren, in einem heißen Topf ohne Fett anrösten, salzen. Erst einen Eßlöffel Zitronensaft, dann sofort den Spinat zufügen. Bei starker Hitze eine halbe Minute aufkochen und sofort zu den Kartoffeln mit der Dickmilchsoße anrichten. Mit Streuwürze, Pfeffer und Sonnenblumenkernen bestreuen.

TIP: Verwenden Sie kaltgepreßtes Olivenöl, es schmeckt am besten bei diesem Gericht.

Pellkartoffeln in grüner Soße (Foto)

Kartoffeln in Salzwasser garen und abziehen. Inzwischen Kräuter, Gewürzgurke, Kapern und Kürbiskerne hacken. Mit Senf, Öl, Essig und Cayennepfeffer verrühren. Joghurt hinzufügen und mit Salz und einem Spritzer Zitronensaft abschmecken. Blattsalat in Streifen schneiden und wie ein Nest auf einem Teller anrichten. Die Kartoffeln hineingeben und mit der Soße übergießen.

TIP: Experimentieren Sie mit Kräutermischungen nach Ihrem Geschmack. Für die hessische grüne Soße typisch ist eine Mischung aus Petersilie, Borretsch, Schnittlauch, Zitronenmelisse, Dill, Sellerieblättern und Liebstöckel. Als Senfsorten schmecken besonders gut Kräuter-, Estragon- oder körniger Senf. Auch milder Balsamessig paßt zur grünen Soße.

Eine Portion
ca. 400 Kalorien

4 mittelgroße Kartoffeln (300 g), Salz,
Kräuter (Basilikum,
Schnittlauch, Petersilie, Estragon),
1 kleine Gewürzgurke (50 g),
1 EL Kapern,
½ EL Kürbiskerne,
1 TL Senf, 1½ TL Öl,
1 TL Essig,
Cayennepfeffer,
1 Becher Magermilchjoghurt (150 g),
Zitronensaft,
1 Portion Blattsalat

Pellkartoffeln in grüner Soße

Kartoffelpfanne mit Rosmarin und Salat

Die gekochten Kartoffeln kleinschneiden und in Öl auf mittlerer Wärmestufe braten. Wenn sie gebräunt sind, mit Pfeffer, Salz und Rosmarin würzen.

Das Ei mit einem Teelöffel Wasser, Salz, Schnittlauchröllchen verquirlen, über die Bratkartoffeln geben und zugedeckt stocken lassen.

Inzwischen Dickmilch mit Zitronensaft, Salz, Pfeffer, Schnittlauchröllchen und gehacktem Knoblauch zu einer Salatsoße verrühren und mit dem Blattsalat mischen.

TIP: Ohne den Salat mit der Dickmilchsoße hat die Kartoffelpfanne etwa 300 Kalorien.

Lauwarmer Kartoffelsalat und Ei (Foto)

Zwiebel kleinschneiden und mit der Gemüsebrühe, gewürzt mit Essig, grob gemahlenem Pfeffer und Lorbeerblatt, aufkochen.

Möhren kleinschneiden und in der Brühe in etwa vier Minuten bißfest garen. Die Flüssigkeit dabei etwas einkochen lassen.

Gekochte Kartoffeln in Scheiben schneiden, Gurke fein würfeln, mit Senf, Öl und Kräuterblättern zu den Möhren geben. Etwas ziehen lassen. Ein Ei nach Geschmack entweder vier Minuten wachsweich oder sieben Minuten hart kochen.

Eine Portion Blattsalat in der Salatschleuder gut trockenschleudern und auf einem Teller anrichten. Den durchgezogenen, lauwarmen Kartoffelsalat und das gekochte Ei darauf geben.

TIP: Estragonessig und Estragonsenf passen am besten in diesen Salat, der natürlich auch kalt gegessen werden kann. Gut schmeckt auch eine Salatmischung aus Kopfsalat mit Rauke (rucola) oder jungen Spinatblättern.

Kartoffel-Lauch-Suppe

**Eine Portion
ca. 200 Kalorien**

3 mittelgroße Kartoffeln (225 g),
½ St. Porree (75 g),
1 gut gefüllte Tasse Gemüsebrühe (Instant), Salz,
weißer Pfeffer,
Zitronensaft,
2 TL Crème fraîche,
glatte Petersilie

Kartoffeln schälen, fein würfeln, Lauch (Porree) in dünne Ringe schneiden. Einen Topf erhitzen, den Lauch darin andünsten, einen Eßlöffel voll abnehmen und beiseite legen. Kartoffelwürfel und Brühe in den Topf geben, aufkochen und etwa zehn Minuten auf mittlerer Wärmestufe zugedeckt garen.
Kartoffel-Gemüse mit dem Pürierstab des Handrührers pürieren oder durch ein Sieb passieren. Zurück in den Topf geben und mit den beiseite gelegten Lauchringen aufkochen. Mit Salz, Pfeffer und etwas Zitronensaft würzen. In einen Teller füllen, Crème fraîche und gehackte Petersilie hineinrühren.

TIP: Im Sommer schmeckt die Suppe auch kalt ausgezeichnet.

Kartoffel-Krabben-Salat (Foto)

Lauchzwiebel in Ringe schneiden. Brühe mit Pfeffer auf- und etwas einkochen, Zitronensaft und Lauchzwiebelringe zufügen und eine Minute kochen.
Kartoffeln, Staudensellerie und Gurke fein würfeln, mit dem Öl in den warmen Sud geben und abkühlen lassen. Melone kleinschneiden, Dill hacken und mit den Krabben unter den Salat mengen. Auf einem Salatblatt oder der Kresse anrichten.

**Eine Portion
ca. 400 Kalorien**

1 Lauchzwiebel,
1 knappe Tasse Gemüsebrühe (Instant),
schwarzer Pfeffer,
2 EL Zitronensaft,
3 mittelgr. gekochte Kartoffeln (225 g),
100 g Staudensellerie, 100 g Salatgurke,
1 TL Öl, ¼ Zuckermelone (100 g),
100 g Krabbenfleisch,
1 Bund Dill, Salatblatt oder Kresse

Kartoffel-Krabben-Salat

**Eine Portion
ca. 400 Kalorien**

3 mittelgroße
Kartoffeln (225 g),
1 TL-Spitze Kümmel,
Salz, 1 Lauchzwiebel,
1 kl. Tomate (50 g),
½ Fenchelknolle
(100 g), 1 ½ TL Öl,
1 EL Zitronensaft,
schwarzer Pfeffer,
Knoblauch, ½ Paket
Magerquark (125 g),
Kräuter (Schnitt-
lauch, Petersilie,
Kresse)

Pellkartoffeln mit Gemüsequark

Möglichst neue Kartoffeln verwenden, sauber bürsten und in Salzwasser
mit Kümmel weichkochen. Inzwischen die Lauchzwiebel und Tomate
fein würfeln, Fenchel raspeln: Mit Öl,
Zitronensaft, Salz, Pfeffer und wenig
gehacktem Knoblauch verrühren und
etwas ziehen lassen.
Magerquark und Kräuter mit dem
Gemüse vermengen und mit Kresseblättern anrichten.
Kartoffeln abgießen, mit Schale essen
oder nur dann abziehen, wenn es gelagerte Winterkartoffeln sind.

Himmel und Erde (Foto)

Gelagerte Winterkartoffeln schälen,
Frühkartoffeln sauber bürsten, vierteln. Äpfel entkernen und ebenfalls

vierteln. Kartoffeln und eine halbe
Tasse Brühe in einen Topf geben und
auf mittlerer Wärmestufe im geschlossenen Topf etwa sieben Minuten
kochen. Apfelstücke zufügen und
noch fünf Minuten garen. Mit Salz
und Pfeffer würzen.
Inzwischen Lauchzwiebeln in feine
Ringe schneiden und in einer heißen
Pfanne ohne Fett andünsten, den Rest
der Gemüsebrühe zugießen und drei
Minuten garen.
Butter oder Margarine unter die
Zwiebeln rühren, dann alles mit
Apfel- und Kartoffelstücken vermischen und nach Geschmack etwas zerdrücken.
Auf einen Teller geben und mit Peter-
silien- und Sellerieblättern bestreuen.

TIP: Das Rezept mit der halben
Menge kann gut als Beilage zu gebratenem Fleisch eingeplant werden.

**Eine Portion
ca. 400 Kalorien**

4 mittelgroße
Kartoffeln (300 g,
am besten mehlig-
kochende),
1 ½ mittelgroße
Äpfel (150 g),
¾ Tasse Gemüse-
brühe (Instant),
Salz, schw. Pfeffer,
2 Lauchzwiebeln,
2 TL Butter oder
Margarine,
Petersilien- und
Sellerieblätter

Topinambur mit
Mais, Kräuterjoghurt
und Frikadelle

Topinambur

Kalorien:

350 Gramm Topinambur ergeben gekocht und abgezogen etwa 250 Gramm (ca. 80 Kalorien).

Diese Knolle kommt wie die Kartoffel ursprünglich aus Amerika und gehört zur Familie der Sonnenblumengewächse. Im Geschmack ist die Topinambur den Artischockenböden ähnlich. In den Wintermonaten beim Gemüsehändler danach fragen.

Gekochte Topinambur

*Eine Portion
ca. 80 Kalorien*

350 g Topinambur, Salz

Topinambur waschen und in Salzwasser oder besser im Sieb über Wasserdampf je nach Größe 15 bis 20 Minuten garen. Garprobe wie bei der Kartoffel mit einem spitzen Messer machen.

Die Schale läßt sich gut abziehen, wenn die Knollen etwas abgekühlt sind. Man kann sie auch kurz mit kaltem Wasser abschrecken.

TIP: Kühl gewordene Topinambur können über Wasserdampf oder in wenig Brühe wieder erhitzt oder wie Bratkartoffeln in Öl gebraten werden. Dann müssen Sie pro Teelöffel Fett knapp 50 Kalorien dazurechnen.

Topinambur mit Mais, Kräuterjoghurt und Frikadelle *(Foto)*

Topinambur wie beschrieben kochen und abziehen. Joghurt mit Salz, Pfeffer, Zitronensaft und den gehackten Kräutern verrühren.

Beefsteakhack mit Haferkleie, Salz, Pfeffer und Kapern verkneten. Eine oder zwei flache Frikadellen daraus formen.

Eine Pfanne erhitzen, mit Öl auspinseln und die Frikadellen von beiden Seiten darin braten, bis sie braun sind. Frikadellen herausnehmen und auf einem vorgewärmten Teller warmhalten. Topinambur mit Zuckermais in der heißen Pfanne schwenken, ein bis zwei Eßlöffel Gemüsewasser vom Mais hinzufügen und verdampfen lassen. Kräutersoße in die warme Pfanne geben und mit dem Gemüse vermischen, nicht mehr kochen lassen.

Topinambur-Salat

Gekochte rote Bete und gekochte Topinambur kleinschneiden. Die rohe Knolle Topinambur in hauchdünne Scheiben hobeln oder raspeln.

Alles mit Petersilienblättern und körnigem Frischkäse auf einem Teller vermischen. Zitronensaft mit Öl verrühren und darüberträufeln. Mit Schnittlauchröllchen, Sesamsamen, Salz und Pfeffer bestreuen. Das Knäckebrot dazu essen.

*Eine Portion
ca. 400 Kalorien*

300 g Topinambur, Salz, schwarzer Pfeffer, ½ Becher Magermilchjoghurt (75 g), ½ EL Zitronensaft, frische Kräuter (Schnittlauch, Petersilie, Kresse), 75 g Beefsteakhack, 1 EL Haferkleie mit Keim, 1 EL Kapern, 1 TL Öl, 100 g Zuckermais (Dose)

*Eine Portion
ca. 200 Kalorien*

50 g rote Bete (gekocht), 150 g Topinambur (gekocht, geschält), 50 g Topinambur (roh, geschält), glatte Petersilie, 1 EL körniger Frischkäse, 1 TL Öl, 2 EL Zitronensaft, Schnittlauch, 1 TL Sesamsamen, Salz, schwarzer Pfeffer, 1 Scheibe Vollkornknäckebrot

Nudeln

Kalorien:

50 Gramm
Rohgewicht
ergeben etwa
125 Gramm
gekochte Nudeln
(ca. 170 Kalorien).

Unsere Rezepte haben wir mit den ballast- und nährstoffreichen Vollkornnudeln gekocht, obwohl wir wissen, daß die nicht jedermanns Geschmack sind. Wenn Sie also lieber die herkömmlichen Nudelsorten verwenden wollen, können Sie sich trotzdem genau an die Rezepte halten: es gibt kaum Veränderungen in Menge, Kochzeit oder Kalorienzahl. Nudeln kocht man normalerweise acht Minuten in sprudelndem Salzwasser, dann sind sie bißfest. Ausnahmen: Sehr dünne Teigwaren schon vorher probieren, sie werden schneller gar. Vollkornnudeln lieber nicht bißfest, sondern weich kochen. Dann schmecken sie besser.

Nudeln mit Estragon-Erbsen (Foto)

Die Lauchzwiebeln kleinschneiden und mit den Erbsen, einem Zweig Estragon und Süßstoff in einer knappen Tasse Salzwasser etwa fünf Minuten lang garen. Dann die gekochten Vollkornnudeln zufügen und eine Minute unter häufigem Wenden miterhitzen, dabei die Feuchtigkeit etwas verdampfen lassen.
Salat und Käse in Streifen schneiden, Petersilie und restlichen Estragon hacken, mit Crème fraîche und Paprikapulver vermischen. Unter die Nudeln heben und auf einen vorgewärmten Teller geben.

TIP: Für dieses Gericht können Sie auch TK-Erbsen verwenden. Wenn Sie frische Erbsen palen wollen, brauchen Sie insgesamt etwa 450 Gramm mit Schote. Als Alternative zum Blattsalat eignen sich auch Eisberg- oder Römersalat. Wird getrockneter Estragon verwendet, dann brauchen Sie nur eine Teelöffelspitze, um darin die Erbsen zu kochen.

Nudelsalat mit Gewürzgurke und Tomaten

Die Lauchzwiebel kleinschneiden und eine Minute in wenig Salzwasser blanchieren. Gewürzgurken und Tomaten in Scheiben schneiden, mit den gekochten Vollkornnudeln und der Lauchzwiebel mischen. Aus Zitronensaft, Öl, Salz und Pfeffer eine Soße rühren und unter den Salat heben. Vor dem Essen die frischen Kräuter hinzufügen.

TIP: Dieser Salat kann sehr gut abends zubereitet und am nächsten Tag in einem Schraubglas mitgenommen werden. Er schmeckt immer besser, wenn er gut durchgezogen ist.

Nudeln mit Hack und Tomatensoße

Zwiebel würfeln und mit den Tomaten, dem Lorbeerblatt, Salz und Cayennepfeffer in einem offenen Topf bei starker Hitze etwa zehn Minuten einkochen.
Für die letzten fünf Minuten Hack und zerdrückten Knoblauch dazu-

**Eine Portion
ca. 400 Kalorien**

3 Lauchzwiebeln,
150 g Erbsen (ausgepalt), 1 Bund Estragon, Süßstoff, Salz,
100 g gekochte
Vollkornnudeln
(40 g Rohgewicht),
1 Portion Blattsalat,
1 Scheibe Schnittkäse (45 % Fett),
glatte Petersilie,
2 TL Crème fraîche,
Rosenpaprika

**Eine Portion
ca. 200 Kalorien**

1 Lauchzwiebel
(ersatzweise eine
Zwiebel), Salz,
2 kleine Gewürzgurken (100 g),
2 kl. Tomaten (100 g),
100 g gekochte
Vollkornnudeln
(40 g Rohgewicht),
1 EL Zitronensaft,
½ TL Öl, schwarzer
Pfeffer, Kräuter
(glatte Petersilie,
Brunnenkresse}

**Eine Portion
ca. 400 Kalorien**

1 kleine Zwiebel,
1 kl. Dose geschälte
Tomaten (230 g),
1 kl. Lorbeerblatt,
Salz, Cayennepfeffer,
100 g Beefsteakhack,
evtl. Knoblauch,
50 g Vollkornnudeln,
1 Lauchzwiebel,
1 TL Öl, Kräuter
(glatte Petersilie,
Basilikum)

rühren. Inzwischen Nudeln in Salzwasser bißfest garen oder gekochte Nudeln in einem Sieb zum Erwärmen über die Tomatensoße hängen. Lauchzwiebel hauchdünn schneiden und für die letzten fünf Minuten zu den Nudeln geben.

Alles auf einen vorgewärmten tiefen Teller geben. Öl und Kräuter zufügen.

TIP: Zu diesem Nudelgericht schmeckt am besten kaltgepreßtes Olivenöl. Wenn Sie gekochte Nudeln verwenden, brauchen Sie 125 Gramm.

Chiligemüsetopf mit Nudeln und Würstchen

Brühe mit Chili-Gewürzmischung aufkochen. Suppengemüse würfeln und in der Brühe fünf bis zehn Minuten kochen. Für die letzten zwei Minuten das Würstchen und die Nudeln zufügen.

Kräuter hacken und vor dem Essen über den Gemüsetopf streuen.

Eine Portion
ca. 400 Kalorien

¼ l Gemüsebrühe
(Instant),
1 TL-Spitze Chili-
Gewürzmischung,
1 Bund Suppengrün
(250 g), 1 Wiener
Würstchen (70 g),
100 g gekochte Voll-
kornnudeln
(40 g Rohgewicht),
Kräuter (glatte
Petersilie, frischer
Koriander)

Spinatnudeln mit Rinderfilet (Foto)

Vollkornnudeln in Salzwasser garen. Champignons und Knoblauch in Scheiben schneiden, den Spinat abtropfen lassen.

Eine Pfanne erhitzen, mit einem halben Teelöffel Öl ausstreichen. Die Filetscheiben kurz auf jeder Seite braten, aus der Pfanne nehmen und warmhalten.

Gemüsebrühe, Champignon- und Knoblauchscheiben in der Pfanne aufkochen, den Bratensatz mit einem flachen Spatel lösen. Einen Teelöffel Öl zufügen. Den Spinat mit ins kochende Nudel-Wasser geben, einmal aufkochen und mit den Nudeln abgießen. Spinatnudeln zum Fleisch auf den Teller legen, Champignonsoße zufügen und mit Pfeffer überstreuen.

TIP: Filetscheiben werden hauchdünn, wenn das Fleisch mit der Aufschnittmaschine geschnitten wird.

Eine Portion
ca. 400 Kalorien

60 g Vollkorn-
nudeln, Salz,
100 g Champignons,
1 Knoblauchzehe,
150 g Blattspinat,
1 ½ TL Öl,
75 g Rinderfilet
(hauchdünn
geschnitten),
½ Tasse Gemüse-
brühe (Instant),
schwarzer Pfeffer

Spinatnudeln
mit Rinderfilet

**Eine Portion
ca. 400 Kalorien**

**200 g Stauden-
sellerie, 1 Tasse
Gemüsebrühe
(Instant),
1 EL Weißweinessig,
50 g Räucherlachs,
150 g gekochte
Vollkornnudeln
(60 g Rohgewicht),
1 Bund Schnitt-
lauch (gehackt),
2 TL Crème fraîche,
50 g Spinatblätter,
1 TL Pistazien,
schwarzer Pfeffer**

Nudeln mit Stauden-
sellerie und Lachs

Staudensellerie in Scheiben schneiden,
mit Gemüsebrühe und Weißweinessig
in einer Pfanne auf- und die Flüssigkeit einkochen lassen.
Den Räucherlachs kleinschneiden.
Gekochte Nudeln, Schnittlauch und
Crème fraîche zum Gemüse in die
Pfanne rühren und eine Minute erhitzen. Spinatblätter unterheben, nicht
mehr kochen. Alles auf einen vorgewärmten Teller füllen und mit den
Lachsstückchen, gehackten Pistazien
und Pfeffer bestreuen.

TIP: Dieses Nudelgericht kann auch
mit kleingeschnittenem frischen Lachs
zubereitet werden. Dazu die Lachsstückchen zusammen mit den Nudeln
zum Gemüse geben. Etwas nachsalzen.

Knoblauchnudeln
mit Schinken (Foto)

Brühe mit Zitronensaft und Thymian
in einer Pfanne aufkochen. Zucchini
kleinschneiden und drei Minuten bei
starker Hitze garen. Die Flüssigkeit
dabei etwas verdampfen lassen.
Oliven und Knoblauch hacken, mit
den gekochten Nudeln in die Pfanne

**Knoblauch-
nudeln
mit Schinken**

**Eine Portion
ca. 400 Kalorien**

**1 Tasse Gemüsebrühe
(Instant), 2 EL Zitronen-
saft, 1 Zweig Thymian,
2 kl. Zucchini (ca. 250 g),
4-5 Oliven (20 g),
1-2 Knoblauchzehen,
150 g gek. Vollkornnudeln
(60 g Rohgew.), ½ TL Öl,
2 Scheiben magerer
gekochter Schinken,
ohne Fettrand (40 g)**

geben und erhitzen, erst danach das Öl dazugeben. Alles mit dem Schinken auf einem vorgewärmten Teller anrichten.

TIP: Wenn Sie kein Fleisch zu den Nudeln essen möchten, können Sie 100 Gramm marinierten Tofu oder 50 Gramm Lopino dazu nehmen: Tofu würfeln und mit je einem Eßlöffel Zitronensaft und Sojasoße beträufeln. Ziehen lassen.

Nudeln mit Kräuterei

Zwiebel kleinschneiden und mit der Brühe und Zitronenschale in einer Pfanne stark einkochen. Kräuter hacken und mit dem Ei verquirlen. Inzwischen die Tomaten kleinschneiden, Öl mit Zitronensaft und Salz verrühren und darüberträufeln.
Gekochte Nudeln in der Zwiebelbrühe erhitzen, Kräuterei dazurühren und unter ständigem Wenden leicht stocken lassen. Zum Schluß mit Pfeffer und Parmesankäse bestreuen. Tomatensalat mit den Nudeln auf einem Teller anrichten.

TIP: Wer keine Lust hat, einen Salat anzurichten, kann die Tomaten auch am Pfannenrand mit erhitzen. Nudeln mit Kräuterei brauchen nicht extra gesalzen zu werden, weil die Gemüsebrühe und der Parmesankäse schon salzig genug sind.

Eine Portion
ca. 400 Kalorien

1 kleine Zwiebel, 1 Tasse Gemüse-brühe (Instant), 1 TL feingehackte Zitronenschale, Kräuter (Petersilie, Basilikum, Schnitt-lauch, Thymian), 1 Ei, 4 kl. Tomaten (200 g), ½ TL Öl, Salz, 2 EL Zitronensaft, 150 g gekochte Vollkornnudeln (60 g Rohgewicht), schwarzer Pfeffer, 1 TL Parmesankäse

Nudelsalat mit Apfel und Radieschen

Aus Zitronensaft, Sojasoße, Öl und Cayennepfeffer eine Salatsoße rühren. Radieschen und Apfelhälfte raspeln und zu den gekochten Nudeln und Sojakeimlingen geben. Mit der Soße mischen und etwas durchziehen lassen. Kräuter hacken und vor dem Essen unter den Salat heben.

TIP: Der Salat eignet sich besonders gut zum Mitnehmen. Wenn Sie keinen frischen Koriander bekommen, ersetzen Sie ihn durch glatte Petersilie.

Eine Portion
ca. 200 Kalorien

2 EL Zitronensaft, 3 EL Sojasoße, 1 TL Öl, Cayennepfeffer, ½ Bund Radies-chen, ½ Apfel, 75 g gekochte Voll-kornnudeln (30 g Rohgewicht), 30 g Sojakeimlinge, ½ Bund Schnitt-lauch, etwas frischer Koriander

**Eine Portion
ca. 200 Kalorien**

½ Orange, geschält,
100 g Chicorée,
2 EL Magermilch-
joghurt, ½ TL Öl,
1 TL-Spitze Curry,
1 EL Zitronensaft,
Salz, Schnittlauch,
75 g gekochte Voll-
kornnudeln
(30 g Rohgewicht),
Kresse, 1 TL Sonnen-
blumenkerne

Curry-Nudelsalat

Orange und Chicorée kleinschneiden.
Joghurt mit Öl, Curry, Salz, Zitronensaft und Schnittlauch verrühren.
Currysoße mit Orangenstücken, Chicorée und den gekochten Nudeln
mischen. Zugedeckt etwas durchziehen lassen. Vor dem Essen mit Kresse
und Sonnenblumenkernen bestreuen.

Nudeln mit Thunfisch

Tomaten, Paprika und Zucchino kleinschneiden und mit der Gemüsebrühe,
dem Zitronensaft, Cayennepfeffer

und Thymianzweig zugedeckt auf
mittlerer Wärmestufe fünf Minuten
dünsten. Das Gemüse soll gar sein,
aber noch etwas Biß haben.
Thunfisch in Stückchen teilen, mit
den gekochten Nudeln zum Gemüse
geben und nur erwärmen. Pfeffer und
gehackte Kräuter unterheben und auf
einen vorgewärmten Teller geben. Mit
Öl beträufeln.

TIP: Zum Überträufeln schmeckt hier
am besten Olivenöl.

**Eine Portion
ca. 400 Kalorien**

2 kl. Tomaten (100 g),
1 mittelgr. grüne
Paprikaschote (150 g),
1 kl. Zucchino (125 g),
3 EL Gemüsebrühe
(Instant),
1 EL Zitronensaft,
Cayennepfeffer,
1 Thymianzweig,
100 g Thunfisch
naturell (aus der
Dose, ohne Öl),
125 g gekochte Voll-
kornnudeln
(50 g Rohgewicht),
schwarzer Pfeffer,
Kräuter (Schnitt-
lauch, Basilikum,
glatte Petersilie),
1 TL Öl

Reis

Alle Reisgerichte oder Reisbeilagen in diesem Buch werden mit Naturreis gekocht. Er ist ballaststoffreicher und enthält wesentlich mehr Vitamine und Mineralstoffe als der polierte weiße Reis. Aber natürlich können die vorgeschlagenen Speisen auch mit weißem oder besser parboiled Reis zubereitet werden. Beachten Sie bitte dabei, daß die Kochzeit sich in diesem Fall um zehn bis 15 Minuten verringert.

Gekochter Naturreis

Kalorien:

Ein gestrichener Eßlöffel roher Reis wiegt etwa 10 Gramm, ein schwach gehäufter Eßlöffel etwa 15 Gramm. Ein schwach gehäufter Eßlöffel gekochter Reis hat etwa 25 Kalorien.

Eine Portion ca. 180 Kalorien

50 g Naturreis, Salz

Reis mit der zwei- bis dreifachen Menge Flüssigkeit (Salzwasser oder Brühe) aufkochen und auf niedrigster Wärmestufe etwa 30 Minuten fest zugedeckt quellen lassen. Restflüssigkeit abgießen und für weitere Speisen, z. B. Suppen, verwenden oder im offenen Topf verdampfen lassen.

Asiatische Reispfanne *(Foto)*

Eine Portion ca. 400 Kalorien

75 g Rinderfilet, 1/2 mittelgr. Paprikaschote (75-100 g), 1 Lauchzwiebel, 1 Knoblauchzehe, 1 Stück Ingwer (möglichst frisch), Chinagewürz, 100 g Sojakeimlinge, 1/2 Tasse Gemüsebrühe (Instant), 2-3 EL Sojasoße, 1 1/2 TL Öl, etwa 150 g gekochter Naturreis (50 g Rohgewicht), frischer Koriander

Rinderfilet, Paprikaschote und Zwiebel in dünne Streifen schneiden. Knoblauch und Ingwer fein hacken. Eine Pfanne erhitzen, die Fleischstreifen für eine halbe Minute hineingeben und unter ständigem Wenden leicht bräunen, mit Chinagewürz bestreuen und aus der Pfanne nehmen.
Sofort die Gemüsestreifen und Sojakeimlinge, den gehackten Knoblauch und Ingwer in die Pfanne geben, eine halbe Minute rühren. Brühe und Sojasoße zugießen und eine weitere halbe Minute wenden. Öl und gekochten Reis untermengen, das angebratene Fleisch obenauf legen und zugedeckt nochmals eine halbe Minute erwärmen. Mit Chinagewürz abschmecken. Reis auf einen Teller geben und mit frischem Koriander bestreuen.

TIP: Zu dieser fernöstlichen Reispfanne paßt natürlich das asiatische Sesamöl am besten.

Indischer Reistopf mit Linsen *(Foto)*

Gewürznelke in die Knoblauchzehe stecken und mit anderthalb Tassen Salzwasser, Zimt, Kumin, Cayennepfeffer, Koriander, Ingwer und Reis in einen Topf geben. Auf mittlerer Wärmestufe zum Kochen bringen. Nach 15 Minuten die Linsen dazurühren. Zwiebeln achteln, Champignons in Scheiben schneiden, alles auf den Linsenreis geben und weitere 15 bis 20 Minuten fest verschlossen garen, ohne umzurühren.
Inzwischen Joghurt mit Salz, Öl und gehacktem Minzblatt verrühren. Spinatblätter auf einen Teller geben. Gewürze aus dem Reistopf entfernen,

Eine Portion ca. 400 Kalorien

1 Gewürznelke, 1 Knoblauchzehe, Salz, 1 Stückchen Stangenzimt, 1 Messerspitze Kumin (Kreuzkümmel), Cayennepfeffer, 1 TL-Spitze gem. Koriander, 1 Stückchen frischer Ingwer, 50 g Naturreis, 20 g grüne Linsen, 2 mittelgr. Zwiebeln, 100 g Champignons, 1/2 Becher Magermilchjoghurt (75 g), 2 TL Öl, 1 Minzblatt, 50 g Blattspinat

Indischer Reistopf mit Linsen

**Asiatische
Reispfanne**

*Eine Portion
ca. 400 Kalorien*

**1 mittelgr. Stange
Porree (150 g),
1 kl. Möhre (50 g),
Curry, 1 knappe
Tasse Gemüsebrühe
(Instant),
1 kl. Banane (100 g),
2 Scheiben Corned
Beef (40 g),
etwa 150 g gekochter Naturreis
(50 g Rohgewicht),
2 TL Crème fraîche**

Reis auf den Spinatblättern anrichten und die Joghurtsoße zufügen.

TIP: Für dieses Gericht eignen sich die kleinen roten Linsen nicht, da sie zu schnell zerkochen. Der Spinat sollte jung und zart sein, weil er roh gegessen wird. Sonst legen Sie ersatzweise Blattsalat auf den Teller.

Reissalat mit Kurkuma

Öl mit Zitronensaft, Gemüsebrühe, Kurkuma, Salz und Cayennepfeffer verrühren. Kürbiskerne, Rosinen, Knoblauch und Orangenschale (ersatzweise Zitronenschale) hacken. Alles mit dem Reis vermischen und ziehen lassen. Kurz vor dem Essen Schnittlauch und Petersilienblätter zufügen.

TIP: Das Gewürz Kurkuma findet man auch unter der Bezeichnung Gelbwurz.

*Eine Portion
ca. 200 Kalorien*

**2 EL Zitronensaft,
1 TL Öl, 2 EL Gemüsebrühe (Instant), Salz,
1 TL-Spitze Kurkuma,
Cayennepfeffer,
½ EL Kürbiskerne,
1 geh. TL Rosinen,
½ Knoblauchzehe,
1 Stück Orangenschale,
etwa 75 g gek. Reis
(25 g Rohgewicht),
Schnittlauch,
glatte Petersilie**

Curryreis mit Banane und Corned Beef

Porree in dünne Ringe und die Möhre in Scheiben schneiden. Eine Pfanne erhitzen und das Gemüse darin ohne Fett unter ständigem Rühren andünsten, bis ein angenehmer Duft aufsteigt. Curry hineinrühren, dann die Brühe dazugießen und drei Minuten zugedeckt aufkochen. Die Banane am Pfannenrand mit erhitzen.
Corned Beef würfeln und mit Reis und Crème fraîche unter das Gemüse rühren. Erwärmen und mit Salz und eventuell noch mit Curry kräftig abschmecken.

TIP: Curry-Mischungen sind unterschiedlich scharf. Geben Sie deshalb erst nur eine Teelöffelspitze Curry in die Pfanne, und würzen Sie zum Schluß lieber nach.

Hirse

Kalorien:

60 Gramm rohe
Hirse ergeben
gekocht etwa 200
Gramm. Das sind 16
schwach gehäufte
Eßlöffel. Pro Eßlöf-
fel gekochte Hirse
kann man etwa
13 Kalorien rechnen.

*Hirse-Möhren
mit Joghurtsoße*

Hirse ist heute noch für
viele Menschen in Asien
und Afrika ein Grundnah-
rungsmittel. Die kleinen
harten Körner sind besonders
reich an Magnesium und
Kieselsäure. Man kann Hirse
wie Reis als Beilage verwenden, aber auch als Einlage in
Suppen oder als Bratlinge.
Hirse muß nicht vorher eingeweicht werden. Zu kaufen
gibt es sie bei uns fast überall.

Gekochte Hirse

Hirse in gut der doppelten Menge
Salzwasser zum Kochen bringen und
20 Minuten bei ausgeschalteter Herd-

platte oder auf niedrigster Wärmestufe fest zugedeckt quellen lassen. Zwischendurch nicht rühren.
Wenn beim Ankochen zuviel Feuchtigkeit verdampft, muß Flüssigkeit
zugefügt werden.

Hirse-Möhren
mit Joghurtsoße (Foto)

Hirse mit gut der doppelten Menge
Salzwasser aufkochen und fest verschlossen auf niedrigster Wärmestufe
20 Minuten quellen lassen.
Inzwischen Möhren schälen und
Zwiebeln abziehen, in Stifte schneiden oder vierteln. Brühe mit Koriander verrühren, die Hälfte mit dem
Gemüse in einen Topf geben und fest
verschlossen zehn Minuten auf mittlerer Wärmestufe einkochen. Die restliche Brühe und Crème fraîche dazugeben, mit einem Holzspatel den
Gemüsesud lösen und verrühren.
Joghurt mit dem Öl vermischen und
mit Salz, Zitronenschale und Cayennepfeffer würzen.
Die gekochte Hirse mit den frisch gehackten Kräutern mischen und mit
dem Gemüse und der Joghurtsoße anrichten.

Gefüllte Hirsetomaten (Foto)

Deckel von den Tomaten abschneiden, die Tomaten aushöhlen und das
Innere in einem Topf mit dem Lorbeerblatt etwas einkochen lassen.
Die Lauchzwiebeln kleinschneiden,
Knoblauch hacken und in den Topf
geben. Mit Cayennepfeffer und Streuwürze abschmecken. Rosmarin und
Basilikum hacken und in einem Schälchen mit der bereits gekochten Hirse,

*Eine Portion
ca. 200 Kalorien*

60 g Hirse, Salz

*Eine Portion
ca. 400 Kalorien*

50 g Hirse, Salz,
250 g junge kleine
Möhren, 4-5 kleine
Zwiebeln (120 g),
½ Tasse Gemüse-
brühe (Instant),
1 TL gemahlener
Koriander,
2 TL Crème fraîche,
1 Becher Mager-
milchjoghurt (150 g),
1 TL Öl,
Zitronenschale,
Cayennepfeffer,
Kräuter (Schnitt-
lauch, glatte Peter-
silie, Liebstöckel)

Eine Portion
ca. 400 Kalorien

6 kl. Tomaten (300 g),
1 kl. Lorbeerblatt,
2 Lauchzwiebeln,
1 Knoblauchzehe,
Cayennepfeffer,
Streuwürze,
1 kl. Zweig Rosmarin,
½ Bund Basilikum,
200 g gekochte
Hirse (60 g Roh-
gewicht),
3 TL Parmesankäse,
schwarzer Pfeffer,
½ Becher Mager-
milchjoghurt (75 g),
1 TL geriebene Zitro-
nenschale, 1 TL Öl

Parmesankäse, Streuwürze und Pfeffer mischen.
Ausgehöhlte Tomaten mit dieser Hirsemasse füllen, zur Soße in den Topf stellen und zehn Minuten zugedeckt erhitzen. Die restliche Hirse in den Tomatensud rühren und weitere fünf Minuten offen auf- und einkochen.
Magermilchjoghurt mit Zitronenschale, Streuwürze und Öl verquirlen, in die Soße rühren. Den Topf sofort vom Herd nehmen, damit die Soße nur erwärmt wird, aber nicht kocht.

Gefüllte
Hirsetomaten

119

Buchweizen

Der Buchweizen ist ein Knöterichgewächs, kein Getreide. Er enthält viel Eiweiß. In unseren Rezepten haben wir den ganzen, ungeschroteten Buchweizen verwendet. Zu kaufen gibt es ihn mittlerweile wieder fast überall.

Gekochter Buchweizen

Eine Tasse Salzwasser zum Kochen bringen. Buchweizen in einem Sieb abspülen, in das kochende Wasser geben, im offenen Topf kurz aufkochen lassen. Temperatur niedrigst stellen (oder bei einer Elektroplatte abschalten) und zugedeckt quellen lassen. Koch- und Quellzeit zusammen betragen 15 Minuten. Die Körner sollten nicht zerkocht werden. Ideal ist es, wenn sie nicht zerfallen und etwas Biß haben.

Gebratener Buchweizen mit Zwiebeln

Zwiebeln in Streifen schneiden und in einer Pfanne in Gemüsebrühe und Sojasoße kochen, bis alle Flüssigkeit verdampft ist. Tomaten zum Anwärmen an den Pfannenrand legen. Inzwischen Joghurt mit Zitronenschale, wenig Salz und Pfeffer und Öl in einem tiefen Teller verrühren. Essig und gekochten Buchweizen zu den Zwiebeln geben und erhitzen. Rühren, bis alles leicht angeröstet ist. Kräuter hacken und unterheben. Buchweizen und Tomaten zur Joghurtsoße auf den Teller geben. Kürbiskerne darüberstreuen.

Chinakohl-Roulade mit Buchweizen (Foto)

In einem größeren Topf Salzwasser zum Kochen bringen. Inzwischen für die Füllung Zwiebeln fein hacken und in der Gemüsebrühe glasig dünsten. Dann Kumin, gekochten Buchweizen, Sonnenblumenkerne, Crème fraîche und gehackte Petersilie zufügen und mit Salz und Pfeffer abschmecken. Chinakohlblätter eine Minute lang in das kochende Salzwasser legen, dann abgießen. Die Buchweizenfüllung so darauf verteilen, daß sich zwei Rouladen rollen lassen. Mit Zwirn umwickeln. Tomaten vierteln und mit den geputzten Champignons und den

Rouladen in einen Topf geben. Gut verschlossen auf mittlerer Wärmestufe 20 Minuten schmoren lassen. Den Topf zwischendurch immer leicht schütteln.

Gemüse und Rouladen auf einen Teller geben, warmhalten. Die Flüssigkeit einkochen lassen. Joghurt dazurühren, nicht mehr kochen und sofort auf den Teller gießen.

TIP: Diese Rouladen sind etwas aufwendiger in der Zubereitung als die anderen Gerichte, aber die Arbeit lohnt sich, weil sie so gut schmecken. Am besten gleich die doppelte Menge zubereiten und die andere Hälfte einfrieren.

Chinakohl-Roulade mit Buchweizen

121

Geschmorter
Apfelporree mit
Gerstenkeimen

Gerste

Kalorien:

Fünf schwach gehäufte Eßlöffel rohe Gerste (ca. 50 g) ergeben gekocht acht leicht gehäufte Eßlöffel (ca. 115 g). Ein Eßlöffel gekochte Gerste hat etwa 18 Kalorien.

Gerste ist wahrscheinlich die älteste unter den Getreidesorten. Sie ist mineralhaltig und hat das meiste Vitamin B. Ein feines Häutchen umgibt die Gerstenkörner. Wird es vorsichtig abgeschält, entsteht die Sprießkorn- oder Nacktgerste. Noch etwas mehr bearbeitet werden die Gerstengraupen, die dabei aber auch einen Teil ihrer Inhaltsstoffe verlieren. Gerste läßt sich schnell zum Keimen bringen: Die Körner über Nacht mit Wasser bedeckt einweichen, abgießen und zwei Tage in einem Glas bei Zimmertemperatur abgetropft keimen lassen. Dabei täglich mindestens zweimal lauwarm durchspülen.
In einigen Reformhäusern gibt es auch gekeimte Gerste zu kaufen.

Gekochte Sprießkorngerste

Eine Portion ca. 150 Kalorien

50 g Sprießkorn- oder Nacktgerste, Salz

Gerste in einem Sieb abspülen und mit der doppelten Menge Salzwasser oder Gemüsebrühe aufsetzen, zum Kochen bringen und gut verschlossen auf ausgeschalteter Herdplatte oder auf niedrigster Wärmestufe 40 Minuten quellen lassen.

TIP: Wenn die Gerste vor dem Kochen mindestens eine Stunde eingeweicht wird, können zehn Minuten Quellzeit gespart werden. Gerste hat eine lange Quellzeit. Darum lohnt es sich, gleich mehrere Portionen im voraus mitzukochen.

Geschmorter Apfelporree mit Gerstenkeimen (Foto)

Kartoffeln in Salzwasser kochen (oder gekochte Kartoffeln am Pfannenrand wieder erhitzen). Porree in dicke Ringe schneiden. Den Apfel entkernen und in Spalten teilen.
Eine Pfanne erhitzen, Porree und Apfelstücke hineinrühren und garen, bis ein intensiver Gemüseduft aufsteigt. Essig und einen Eßlöffel Wasser, Salz und Pfeffer zufügen und drei Minuten zugedeckt kochen. Zwischendurch einmal umrühren.
Gehackte Kräuter und gekeimte Gerste zufügen und weitere drei Minuten garen. Wenn sich zuviel Flüssigkeit angesammelt hat, ohne Deckel verkochen lassen. Crème fraîche hineinrühren und mit den Kartoffeln auf einen vorgewärmten Teller geben.

Eine Portion ca. 400 Kalorien

2 mittelgroße Kartoffeln (150 g, roh oder gekocht), Salz, 1 mittelgroße Stange Porree (150 g), 1 Apfel (100 g), 2 EL Obstessig, schwarzer Pfeffer, Kräuter (Petersilie, Staudensellerie), 100 g gekeimte Gerste (ca. 50 g Rohgewicht), 3 TL Crème fraîche

Quinoa mit
Orangenzwiebeln

Quinoa

Kalorien:

50 Gramm unge-
kochte Quinoa sind
etwa 5 Eßlöffel.
Sie haben etwa
180 Kalorien.

Eigentlich ist Quinoa (sprich: Kienwa) kein Getreide, sondern ein Gänsefußgewächs. Die runden, abgeflachten Körner enthalten mehr und hochwertigeres Eiweiß als vergleichbare Pflanzen. Quinoa sieht der Hirse ähnlich, ist im Geschmack aber saftiger. Fragen Sie in Bioläden oder Reformhäusern danach.

**Eine Portion
ca. 200 Kalorien**

50 g Quinoa,
1 knappe Tasse
Gemüsebrühe
(Instant),
eine Messerspitze
Butter oder
Margarine

Gekochte Quinoa

Die Quinoa mit der Brühe in einen Topf geben, umrühren. Auf mittlerer Wärmestufe zum Kochen bringen und 15 Minuten auf niedrigster Stufe oder bei ausgeschalteter Herdplatte ausquellen lassen. Butter oder Margarine dazurühren.

TIP: Quinoa kann auch nur mit Salzwasser und ohne Fett gekocht werden.

Quinoa-Mais-Salat

**Eine Portion
ca. 200 Kalorien**

½ rote Paprika-
schote (75-100 g),
2 EL Gemüsebrühe
(Instant),
5 EL gekochte
Quinoa (25 g Roh-
gewicht),
100 g Zuckermais
(abgetropft), Salz,
2 EL Zitronensaft,
1 Messerspitze
Chili-Gewürzmi-
schung, Kräuter
(glatte Petersilie,
Schnittlauch)

Paprikaschote fein würfeln, nach Geschmack roh verwenden oder eine Minute im geschlossenen Topf dünsten. Alle Zutaten mischen, möglichst etwas ziehen lassen und vor dem Essen mit den frischgehackten Kräutern bestreuen.

TIP: Wer auf einen Teelöffel Öl (Olivenöl) nicht verzichten möchte, muß etwa 45 Kalorien dazurechnen.

Quinoa mit Orangenzwiebeln (Foto)

Zwiebeln kleinschneiden und in der Brühe mit Orangensaft, etwas Paprikapulver und gemahlenem Koriander weichkochen. Die gekochte Quinoa hinzufügen, umrühren, erhitzen und mit Salz und Pfeffer würzen.
Feldsalat putzen, Gurke schälen und raspeln. Zitronensaft, Salz und Pfeffer dazumischen.
Magermilchjoghurt mit Öl, Salz, Zitronensaft und Zitronenschale verrühren und zum Salat und der Quinoa auf den Teller geben. Sonnenblumenkerne darüberstreuen.

TIP: Eiweißträger ist hier neben der Quinoa der Joghurt. Wer gern Fleisch ißt, kann den Joghurt durch zwei Scheiben Lachsschinken oder deutsches Corned Beef (das ist magerer als das amerikanische) ersetzen.
Wer nur Quinoa mit den Orangenzwiebeln ißt, ohne Salat und Joghurt, muß etwa 250 Kalorien berechnen.

**Eine Portion
ca. 400 Kalorien**

2 mittelgr. Zwiebeln,
knapp ½ Tasse
Gemüsebrühe
(Instant),
Saft ½ Orange,
Rosenpaprika,
gemahlenen
Koriander,
140 g gekochte
Quinoa (50 g Roh-
gewicht, in Brühe
gekocht), Salz,
schwarzer Pfeffer,
50 g Feldsalat,
150 g Salatgurke,
Zitronensaft
und -schale, 1 TL Öl,
1 Becher Mager-
milchjoghurt (150 g),
1 TL Sonnenblumen-
kerne

**Grünkern-
Plinsen mit Salat**

Grünkern

Kalorien:

Fünf schwach gehäufte Eßlöffel ungeschroteter Grünkern (ca. 50 g) ergeben gekocht acht leicht gehäufte Eßlöffel (ca. 115 g). Ein Eßlöffel gekochter Grünkern hat etwa 20 Kalorien.

Grünkern ist getrockneter, leicht gerösteter Dinkel – eine Weizenart. Sie finden ihn in Bioläden, im Reformhaus und in den Bio-Ecken der Supermärkte. Zum Zubereiten den Grünkern immer in der doppelten Menge Salzwasser ansetzen (zum Beispiel 50 Gramm Grünkern in 100 Milliliter Wasser garen). Vorgekocht hält er sich mindestens vier Tage lang im Kühlschrank. Es lohnt sich also, eine größere Menge vorzukochen, um weitere Rezepte auszuprobieren.

Gekochter Grünkern

Grünkernkörner im Sieb abspülen, mit knapp einer Tasse Salzwasser oder Gemüsebrühe zum Kochen bringen und zugedeckt auf niedrigster Wärmestufe 40 bis 45 Minuten ausquellen lassen.
Wenn die Flüssigkeit vorschnell verdampft, etwas Wasser oder Brühe nachgießen. Mit Butter verrühren.

Grünkern mit Spinat und Joghurtsoße

Grünkern mit Gemüsebrühe aufkochen und fest verschlossen 40 bis 45 Minuten quellen lassen. Magermilchjoghurt mit Zitronensaft und Zitronenschale, Salz und Cayennepfeffer verrühren und leicht anwärmen, nicht kochen.

Den Spinat grob, die Knoblauchzehe fein hacken. Champignons in einer vorgeheizten Pfanne ohne Fett anrösten, mit Zitronensaft und Salz würzen, unter häufigem Rühren eine Minute wärmen und Saft ziehen lassen. Spinat, Knoblauch und gedünstete Champignons unter den heißen Grünkern rühren, erhitzen und sofort mit Joghurtsoße auf einen Teller geben. Öl darüberträufeln und mit Pfeffer und Sesamsamen bestreuen.

TIP: Wenn Sie noch gekochten Grünkern haben, wärmen Sie ihn mit etwas Brühe wieder auf, und verarbeiten Sie ihn wie beschrieben.

Grünkern-Plinsen mit Salat (Foto)

Kräuter hacken und mit gekochtem Grünkern, Ei und Gewürzen verrühren. Eine Pfanne erhitzen, mit Öl auspinseln. Aus der Grünkern-Mischung sechs Plinsen formen und in die Pfanne geben. Auf mittlerer Wärmestufe auf jeder Seite etwa zwei Minuten braten. Tomaten am Rand mit erwärmen.
Möhren raspeln und mit den Salatblättern auf einen Teller geben. Dickmilch mit Zitronensaft, Salz, Pfeffer und einem halben Teelöffel Honig verrühren und über den Salat geben.

TIP: Diese Plinsen eignen sich besonders gut als Zwischen- oder Abendmahlzeit. Deshalb: auf Vorrat zubereiten und einfrieren. Wenn aus der angegebenen Menge sechs Plinsen gebraten werden, hat eine Plinse ungefähr 50 Kalorien.

Eine Portion ca. 200 Kalorien

50 g Grünkern (ungeschrotet), Salz oder Gemüsebrühe (Instant), 1 TL Butter oder Margarine

Eine Portion ca. 400 Kalorien

60 g Grünkern (ungeschrotet), 1 Tasse Gemüsebrühe, Salz, ½ Becher Magermilchjoghurt (75 g), 1 EL Zitronensaft, ger. Zitronenschale, Cayennepfeffer, 150 g Blattspinat, Knoblauch, 2 TL Öl, 150 g Champignons, schwarzer Pfeffer, 1 TL Sesamsamen

Eine Portion ca. 400 Kalorien

1 Bund gemischte Kräuter (Schnittlauch, Petersilie, Liebstöckel), 115 g gekochter Grünkern (50 g Rohgewicht), 1 Ei, Salz, 1 TL Öl, schwarzer Pfeffer, 2 kl. Tomaten (100 g), 2 kl. Möhren (100 g), 1 Portion Blattsalat, 100 g Dickmilch (fettarm), ½ TL Honig, Zitronensaft

Currybohnen
mit Buchweizen

Weiße Bohnen

F rische weiße Bohnen gibt es für kurze Zeit nur im Sommer. Deshalb haben wir die folgenden Rezepte mit Dosenbohnen zubereitet. Auch getrocknete Bohnen sind für die Rezepte geeignet.

Currybohnen mit Buchweizen (Foto)

Buchweizen in gut der doppelten Menge Salzwasser zum Kochen bringen und auf niedrigster Wärmestufe 15 bis 20 Minuten quellen lassen. Porree in dünne Ringe schneiden und tropfnaß im heißen Topf bei geschlossenem Deckel drei Minuten dünsten. Salz und Curry nach Geschmack einstreuen, drei Eßlöffel Bohnenwasser, das Lorbeerblatt und die abgetropften Bohnen dazugeben und alles drei Minuten kochen. Tomaten würfeln und kurz miterhitzen. Alles auf einem Teller anrichten, Crème fraîche zufügen und mit Kräutern bestreuen.

TIP: Statt Buchweizen können Sie auch drei mittelgroße Kartoffeln oder 50 Gramm Reis kochen.

Bohnengemüse mit Thymian

Lauchzwiebeln in dünne Ringe schneiden und im vorher erhitzten Topf ohne Fett unter ständigem Rühren andünsten.
Bohnen, Thymian, fein gehackte Zitronenschale, Salz und etwas Bohnenwasser hinzufügen und ungefähr fünf Minuten auf mittlerer Wärmestufe kochen. Tomaten vierteln, in den Topf geben und weitere drei Minuten kochen.
Inzwischen eine Scheibe Vollkornbrot toasten, mit einer aufgeschnittenen Knoblauchzehe einreiben und mit etwas Öl bestreichen. Restliche Knoblauchzehe hacken, mit Öl, Parmesankäse und Pfeffer in den Bohnentopf rühren. Mit dem getoasteten Vollkornbrot servieren.

Bunter Bohneneintopf

Zwiebel mit der Gewürznelke und dem Lorbeerblatt bestecken. Kartoffeln und Möhren fein würfeln. Bohnenwasser mit Gemüsebrühe auf einen viertel Liter auffüllen. Bohnen, Zwiebel, Bohnenkraut und Gemüsewürfel hineingeben und sieben bis zehn Minuten kochen.
Tomaten und Birne vierteln, in den Topf geben und weitere vier Minuten kochen. Zum Schluß frische Kräuter, Paprikapulver und Öl in den Eintopf rühren. Ohne die besteckte Zwiebel servieren.

Kalorien:

100 Gramm getrocknete Bohnen entsprechen dem Inhalt einer kleinen Dose und sind mit etwa 275 Kalorien zu berechnen.

Eine Portion ca. 400 Kalorien

50 g Buchweizen, 1 Stange Porree (150 g), Salz, Curry, ½ kl. Dose weiße Bohnen (125 g), 1 kl. Lorbeerblatt, 2 kl. Tomaten (100 g), 3 TL Crème fraîche, Kräuter (Petersilie, Schnittlauch, Basilikum)

Eine Portion ca. 400 Kalorien

3 Lauchzwiebeln, ½ kl. Dose weiße Bohnen (125 g), Thymian, Salz, 1 Stückchen Zitronenschale, 3 kl. Tomaten (150 g), 1 Scheibe Vollkornbrot (50 g), 2 TL Öl, 1 Knoblauchzehe, 1 TL Parmesankäse, schwarzer Pfeffer

Eine Portion ca. 400 Kalorien

1 kleine Zwiebel, 1 Gewürznelke, 1 kl. Lorbeerblatt, 2 mittelgroße Kartoffeln (150 g), 2 kl. Möhren (100 g), ½ kl. Dose weiße Bohnen (125 g), Gemüsebrühe (Instant), 1 Zweig Bohnenkraut, 3 kl. Tomaten (150 g), 1 mittelgroße Birne (175 g), Kräuter (Schnittlauch, Petersilie), Edelsüß- und Rosenpaprika, 1 TL Öl

Linsen

Kalorien:

**60 Gramm
rohe Linsen ergeben
gekocht etwa
180 Gramm
und haben etwa
200 Kalorien.**

Es gibt verschiedene Linsensorten: kleine und große, rote, grüne und gelbe. Für die folgenden Rezepte eignet sich jede Sorte. Die Garzeiten betragen zwischen 15 und 40 Minuten. Sie können nicht genau angegeben werden, da sie wie bei allen Hülsenfrüchten vom Alter und auch von der Sorte abhängen. Probieren Sie zwischendurch immer wieder, ob die Linsen weich genug sind. Zu lange gekocht, zerfallen einige Linsensorten zu Brei. Linsen werden am besten mit der vierfachen Menge Salzwasser und Gewürzen weichgekocht. Restflüssigkeit etwas verdampfen lassen oder für andere Gerichte, zum Beispiel Suppen, verwenden.

Linsengemüse mit Apfel (Foto)

Linsen mit der knapp vierfachen Menge Salzwasser, Lorbeer- und Salbeiblatt etwa 20 Minuten kochen. Inzwischen den Apfel halbieren und entkernen, die Kartoffel sauber bürsten oder schälen und kleinschneiden. Apfel- und Kartoffelstücke und die Tomaten auf die Linsen geben und weitere acht bis zehn Minuten garen. Alles mit Crème fraîche auf einem Teller anrichten und mit Schnittlauchröllchen und Pfeffer bestreuen.

TIP: Statt Crème fraîche können 1 ½ Teelöffel kaltgepreßtes Öl unter die Linsen gerührt werden.

***Eine Portion
ca. 400 Kalorien***

**60 g kl. grüne
Linsen, Salz,
1 kl. Lorbeerblatt,
1 Salbeiblatt,
1 mittelgroßer
Apfel (100 g),
1 mittelgroße
Kartoffel (75 g),
4 kl. Tomaten (200 g),
4 TL Crème fraîche,
Schnittlauch,
schwarzer Pfeffer**

Linseneintopf mit Gemüse und Joghurtsoße

Zwiebel mit einer Gewürznelke bestecken. Kartoffel, Suppengrün und rote Bete würfeln und in einem heißen Topf ohne Fett andünsten, bis ein angenehmer Duft aufsteigt. Bestecke Zwiebel, Lorbeerblatt, Orangen- oder Zitronenschale, Linsen und Gemüse-brühe zufügen und 20 bis 30 Minu-ten auf mittlerer Stufe weichkochen. Joghurt mit Öl, Zitronensaft, Salz, Cayennepfeffer und feingehacktem Basilikum verrühren. Zwiebel, Lor-beerblatt und Zitrusschale entfernen, den Eintopf mit zerdrückter Knob-lauchzehe, Salz und Pfeffer würzen. Alles in einen tiefen Teller füllen und die Joghurtsoße in die Mitte geben.

**Eine Portion
ca. 400 Kalorien**

1 kleine Zwiebel,
1 Gewürznelke,
1 mittelgroße
Kartoffel (75 g),
½ Bund
Suppengrün (125 g),
1 Knolle
rote Bete (100 g),
1 kl. Lorbeerblatt,
1 Stück rohe
Orangen- oder
Zitronenschale,
60 g Linsen,
¼ l Gemüsebrühe
(Instant),
½ Becher Mager-
milchjoghurt (75 g),
1 TL Öl, Salz,
1-2 EL Zitronensaft,
Cayennepfeffer,
Basilikum,
1 Knoblauchzehe,
schwarzer Pfeffer

**Linsengemüse
mit Apfel**

Tofu

Kalorien:

100 Gramm Tofu
haben etwa
75 Kalorien. Wenn
Tofu schon in
irgendeiner Form
zubereitet ist,
ändert sich natür-
lich der Kalorien-
gehalt.

**Eine Portion
ca. 400 Kalorien**

200 g Möhren,
1 Tasse Gemüse-
brühe (Instant),
Salz, 125 g Tofu,
Kräuter (Schnitt-
lauch, Liebstöckel,
glatte Petersilie),
1 kleines Stück
Zitronenschale,
1 kleines Stück
frischer Ingwer,
1 EL Sojasoße,
1 EL Zitronensaft,
schwarzer Pfeffer,
50 g Chinakohl,
150 g gekochte
Vollkornnudeln
(60 g Rohgewicht),
1 ½ TL Öl

**Eine Portion
ca. 200 Kalorien**

1 EL Sojasoße,
schwarzer Pfeffer,
1 EL Zitronensaft,
1 TL Öl, 125 g Tofu,
½ Bund Radieschen,
½ mittelgr. Apfel
(50 g), glatte Peter-
silie, 1 Scheibe Voll-
kornknäckebrot

Tofu ist ein Sojabohnen-Quark, der in der asiatischen Küche oft anstelle von Fleisch als Eiweißspender genommen wird – ideal also für Vegetarier. Tofu gibt es mittlerweile nicht nur in Bio-Läden und Reformhäusern, sondern auch im Supermarkt.

Kräuter-Tofuklößchen mit Nudeln

Möhren schälen, in Stifte schneiden und in wenig Gemüsebrühe in einer Pfanne dünsten. Salzwasser zum Kochen bringen. Den abgetropften Tofu in große Würfel schneiden. Kräuter, Zitronenschale und Ingwer hacken. Alles mit je einem Eßlöffel Sojasoße und Zitronensaft und dem Pfeffer fein pürieren. Mit dem Eßlöffel Klößchen abstechen und in dem siedenden Wasser etwa fünf Minuten erhitzen. Chinakohl in Streifen schneiden und mit den gekochten Nudeln und etwas Brühe in die Pfanne geben, bei erhöhter Wärmezufuhr unter ständigem Rühren erhitzen. Öl unterrühren. Gemüsenudeln und die abgetropften Kräuterklößchen auf einen Teller geben.

TIP: Tofu schmeckt mit Sesamöl am besten. Die Kräuter-Tofuklößchen haben ohne Beilage etwa 100 Kalorien.

Tofu auf Radieschensalat

Sojasoße, Pfeffer, Zitronensaft und Öl in einer Schüssel oder einem tiefen Teller mischen. Tofu würfeln oder in dünne Scheiben schneiden, in die Marinade geben, wenden und möglichst eine halbe bis eine Stunde marinieren. Radieschen putzen, raspeln oder in dünne Scheiben hobeln. Ein paar zarte Radieschenblätter in Strei-

fen schneiden. Apfel fein würfeln. Radieschen und Apfel mit der Tofu-Marinade mischen. Radieschen und gehackte Petersilienblätter zufügen. Tofu auf dem Radieschensalat anrichten und mit Pfeffer bestreuen. Knäckebrot dazu essen.

TIP: Die marinierte Tofuportion ohne den Salat hat etwa 150 Kalorien.

Marinierter Tofu mit Sojasprossen-Gemüse und Lauchzwiebeln (Foto)

Tofu abtropfen lassen, in Scheiben schneiden und mit Küchenkrepp trockentupfen.
Eine Pfanne ohne Fett erhitzen, die Tofuscheiben darin von beiden Seiten etwa eine halbe Minute braten, auf einen Teller geben und mit Sojasoße, Zitronensaft und Öl beträufeln. Lauchzwiebeln putzen, kleinschneiden und mit etwas Gemüsebrühe weichdünsten. Gekochte Nudeln und Sojasprossen dazurühren, eventuell mehr Brühe zufügen. Tofuscheiben obenauf legen, Marinade vom Teller darübergießen, zugedeckt eine Minute wärmen. Tofu und Gemüse-Nudel-Mischung auf einen Teller legen. Mit Cayennepfeffer, Sesamsamen und frischem Koriander bestreuen.

TIP: Gut schmecken auch chinesische Nudeln: Mit kochendem Wasser übergießen, 10 Minuten ziehen lassen, Wasser abgießen und die Nudeln mit feingehackten Kräutern würzen.

Eine Portion ca. 400 Kalorien

125 g Tofu, 1 TL Öl, 1 EL Sojasoße, 1 EL Zitronensaft, 2 Lauchzwiebeln, 1 Tasse Gemüsebrühe (Instant) 125 g gekochte Vollkornnudeln (50 g Rohgewicht), 100 g Sojasprossen, Cayennepfeffer, 1 TL Sesamsamen, Koriander, frisch

Marinierter Tofu mit Sojasprossen-Gemüse und Lauchzwiebeln

Kräuterkartoffel

Zwischenmahlzeiten

Jede Portion ca. 100 Kalorien

1 mittelgroße gek. Kartoffel (75 g), 1 TL Salatcreme, 1 TL Senf, Kräuter (Schnittlauch, Petersilie, Dill), schwarzer Pfeffer

1 Becher Magermilch-joghurt (150 g), Zitronenmelisse, 1/2 TL Honig, frischer Ingwer, 1 TL Crème fraîche, 100 g frische Erdbeeren

1/4 l Buttermilch, 1 TL Crème fraîche, 3 EL Zitronensaft, Zitronenschale, 1/2 TL Honig, 1 Minzblatt

150 g Dickmilch (fettarm), Zimt, 100 g Himbeeren

1 EL Magerquark, 1/2 TL Öl, 1/2 Roggen-brötchen, 1 kl. Stück Zitronenschale, Schnittlauch, Streuwürze, schwarzer Pfeffer

Kräuterkartoffel (Foto)

Gekochte Kartoffel der Länge nach halbieren. Salatcreme mit Senf ver-rühren und auf beide Schnittflächen streichen. Mit gehackten Kräutern und Pfeffer bestreuen.

Erdbeerjoghurt mit Ingwer

Magermilchjoghurt mit Melisseblät-tern, Honig, geriebenem Ingwer und Crème fraîche verrühren. Erdbeeren kleinschneiden und dazurühren.

Zitronen-Buttermilch-Mix

Alle Zutaten im Mixer verquirlen oder im Schraubglas schütteln. Nach Geschmack Eiswürfel zufügen.

Zimt-Dickmilch mit Himbeeren

Dickmilch mit Zimt verrühren, dann Himbeeren unterheben.

Schnittlauchquark-Brötchen

Magerquark mit Öl verrühren und auf die Brötchenhälfte streichen. Zitro-nenschale und Schnittlauch fein hak-ken und zusammen mit Streuwürze und Pfeffer über das Brötchen streuen.

Tomatenbrühe mit Brötchen

In einer Tasse die heiße Gemüsebrühe aufbrühen, die gehackten Kräuter und das Tomatenmark hineinrühren. Bröt-chenhälfte auf dem Toaster rösten und dazu essen.

Kräuter-Ei (Foto)

Ei sieben Minuten hart kochen. Kräu-ter fein hacken. Das gekochte Ei in den Kräutern wälzen, halbieren und Streuwürze und Pfeffer darübergeben.

Kräuter-Ei

Möhren-Kresse-Salat

Aus Zitronensaft, Brühe, Salz, Cayennepfeffer, Koriander, Honig und Öl eine Salatsoße rühren. Möhren raspeln und mit Kresse und der Salatsoße vermischen.

Jede Portion ca. 100 Kalorien

1 Tasse Gemüse-brühe (Instant), Kräuter (Schnitt-lauch, Petersilie, Basilikum), 1 TL Tomatenmark, 1/2 Roggenbrötchen

1 Ei, Kräuter (Schnitt-lauch, Petersilie, Kresse), Streuwürze, schwarzer Pfeffer

2 EL Zitronensaft, 2 EL Gemüsebrühe (Instant), Salz, Cayennepfeffer, 1 TL-Spitze Koriander-samen (zerdrückt), 1/2 TL Honig, 1 TL Öl, 4 kl. Möhren (200 g), 1/2 Päckchen Kresse

Käse-Gurken-
Brot

Jede Portion
ca. 100 Kalorien

**1 Ei, 2-3 EL Zitronen-
saft, 1 TL Honig**

Zitronenschaum-Ei

Das Ei trennen. Eine kleine Schüssel mit kochendem Wasser erwärmen. Das Eigelb, Zitronensaft und Honig in die angewärmte Schüssel geben und miteinander verquirlen. In einer zweiten Schüssel das Eiweiß sehr steif schlagen und mit dem Eigelb vermischen.

**2 kl. Möhren (100 g),
¼ Salatgurke (125 g),
½ Becher Mager-
milchjoghurt (75 g),
Salz, 2 TL Salatcreme,
1 EL Zitronensaft,
Cayennepfeffer,
Kräuter (Schnittlauch,
Petersilie, Kerbel)**

Gemüse mit Dip

Möhren und Gurke schälen und in längliche Stücke schneiden. Joghurt mit Salz, Salatcreme, Zitronensaft, Cayennepfeffer und Kräutern verrühren. Als Dip zum Gemüse in einem Schälchen anrichten.

Käse-Gurken-Brot (Foto)

Vollkornbrot mit Senf bestreichen. Gurke in dünne Scheiben schneiden und mit der Käsescheibe auf das Brot legen. Mit Kresse und Pfeffer bestreuen.

Gurkensalat mit Kürbiskernen

Gurke hobeln. Kräuter und Kürbiskerne fein hacken und mit Zitronensaft, Streuwürze und Pfeffer unter die Gurkenscheiben mischen. Vollkornknäckebrot dazu essen.

Jede Portion
ca. 100 Kalorien

**½ Scheibe Vollkorn-
brot, 1 TL Senf,
50 g Salatgurke,
½ Scheibe Käse
(45 %), Kresse,
schwarzer Pfeffer**

**¼ Salatgurke (125 g),
Kräuter (Schnitt-
lauch, Petersilie,
Dill oder Borretsch),
1 EL Kürbiskerne,
2 EL Zitronensaft,
Streuwürze,
schwarzer Pfeffer,
1 Scheibe Vollkorn-
knäckebrot**

Jede Portion
ca. 100 Kalorien

1 kl. Banane (100 g),
Zitronensaft
und -schale,
2 TL Crème fraîche,
Minzblätter

Sahne-Banane (Foto)

Banane halbieren, mit Zitronensaft beträufeln und mit wenig geriebener Zitronenschale bestreuen. Crème fraîche auf die Bananenhälften streichen und die Minzblätter darauf anrichten.

Warmes Tomatenbrötchen

3 kl. Tomaten (150 g),
Salz, schw. Pfeffer,
1 TL-Spitze Curry,
Schnittlauch,
1 Knoblauchzehe,
½ TL Öl,
½ Roggenbrötchen

Tomaten kleinschneiden. Eine Pfanne erhitzen, Tomatenstücke hineingeben, mit Salz, Pfeffer und etwas Curry bestreuen. Kurz erwärmen und auf einen Teller geben. Schnittlauch und Knoblauch hacken und mit dem Öl über die Tomaten verteilen. Brötchenhälfte toasten und dazu essen.

Knoblauchspinat (Foto)

1-2 Knoblauch-
zehen, ½ TL Öl,
Salz, schw. Pfeffer,
2-3 EL Zitronensaft,
150 g Spinatblätter,
1 TL Parmesankäse,
1 Scheibe Knäckebrot

Knoblauch fein hacken und mit Öl, Salz, Pfeffer und Zitronensaft vermengen. Einen Topf erhitzen, den Blattspinat hineingeben und für eine halbe bis eine Minute erwärmen.

Knoblauchmischung mit dem warmen Spinat vermengen, auf einen Teller geben und mit Parmesankäse bestreuen. Knäckebrot dazu essen.

Harzer-Knäckebrot

Tomatenmark auf das Vollkornknäckebrot streichen. Salatblatt und Sauermilchkäse darauf legen. Mit Öl beträufeln und mit Kresse und Pfeffer bestreuen.

Sahne-
Banane

Jede Portion
ca. 100 Kalorien

1 TL Tomatenmark,
1 Scheibe Vollkorn-
knäckebrot,
Salatblatt,
30 g Sauermilchkäse
(Harzer, Handkäse),
½ TL Öl, Kresse,
schwarzer Pfeffer

Knoblauchspinat

Mais-, Gurken-,
Curry-Tomaten-
und Erbsensuppe

Suppen

Erbsensuppe mit Minze

Erbsen in der Gemüsebrühe 15 bis 20 Minuten kochen, bis sie weich sind. Ein gehacktes Minzblatt zufügen, Erbsen mit dem Pürierstab des Handrührers pürieren. Mit Pfeffer würzen. Crème fraîche in die Suppe rühren.

TIP: Statt Minze können Sie auch Petersilie, Selleriekraut, Estragon oder Schnittlauch nehmen.

Gurkensuppe

Einen Topf erhitzen. Gurke schälen, würfeln und in dem heißen Topf andünsten. Brühe zugießen und fünf Minuten kochen. Mit Pfeffer und Zitronensaft würzen, gehackten Borretsch zufügen und mit dem Pürierstab des Handrührers pürieren. Crème fraîche in die Suppe rühren und mit frischen Kräuterblättern oder wie auf dem Foto mit Borretschblüten bestreuen.

TIP: Frischen Borretsch, erst recht den blühenden, bekommt man nur im Sommer. Zu dieser Gurkensuppe passen auch Schnittlauch, Petersilie oder Pimpernell.

Curry-Tomaten-Suppe

Zwiebel hacken und mit den Tomaten zehn Minuten kochen. Tomaten dabei zerdrücken. Mit Salz, Curry und Honig würzen. Frisch gehackten Knoblauch und Crème fraîche in die Suppe rühren. Mit Korianderblättern bestreuen.

Maissuppe

Die Brühe mit dem Gemüsewasser aus der Maisdose und der Hälfte der Maiskörner mit dem Pürierstab des Handrührers pürieren und erhitzen. Den restlichen Mais zufügen, nochmals erhitzen. Mit Zitronensaft und Paprikapulver abschmecken.

TIP: Als Gewürze eignen sich auch Chili-Gewürzmischung und Curry.

Eine Portion
ca. 100 Kalorien

100 g Erbsen (frisch oder TK-Produkt),
1 ½ Tassen Gemüsebrühe (Instant), Minze,
schwarzer Pfeffer,
1 TL Crème fraîche

Eine Portion
ca. 100 Kalorien

½ Salatgurke (250 g),
1 ½ Tassen Gemüsebrühe (Instant),
schwarzer Pfeffer,
1 EL Zitronensaft,
Borretsch,
2 TL Crème fraîche

Eine Portion
ca. 100 Kalorien

1 kleine Zwiebel,
1 kl. Dose geschälte Tomaten (ca. 230 g),
Salz, ½ TL Honig,
Curry, Knoblauch,
3 TL Crème fraîche,
Korianderblätter

Eine Portion
ca. 100 Kalorien

1 ½ Tassen Gemüsebrühe (Instant),
9 EL Mais (aus der Dose, ca. 90 g),
1-2 EL Zitronensaft,
Rosenpaprika

Salate

Zucchini-Linsen-Salat (Foto)

Zucchino in Scheiben schneiden und in der Gemüsebrühe bei geschlossenem Deckel etwa vier Minuten dünsten. Zitronensaft, Öl, Salz und Pfeffer hinzufügen. Gekochte Linsen dazugeben, etwas ziehen lassen. Vor dem Essen eventuell nachwürzen und mit den frischen, gehackten Kräutern bestreuen.

TIP: Für Salate eignen sich am besten die grünen französischen Puy-Linsen: Sie zerkochen nicht so leicht.

Thunfisch-Tomaten-Salat

Tomaten in Scheiben schneiden, Thunfisch zerpflücken und mit Basilikumblättern auf einem Teller anrichten. Mit Pfeffer, Salz und geriebener Zitronenschale bestreuen. Zitronensaft mit Öl verrühren und über den Salat träufeln. Brötchen frisch rösten und dazu essen.

TIP: Wer mag, überstreut den Salat noch mit gehacktem Knoblauch.

Rohkostsalat

Gemüse und Apfel raspeln oder kleinschneiden. Kräuter und Kürbiskerne hacken. Gemüsebrühe mit Zitronensaft, Öl, Pfeffer und gehackten Kräutern mischen und mit dem Gemüse vermengen.
Das Vollkornbrot zerkrümeln und mit den gehackten Kürbiskernen in einer heißen Pfanne ohne Fett rösten. Damit es nicht anbrennt, häufiger mit dem Holzspatel umrühren.

Rohkost auf einem Teller anrichten und mit Brotbröseln und Kürbiskernen bestreuen.

Kartoffelsalat mit Ei

Ein Ei hart kochen und achteln. Brühe mit drei Eßlöffel Wasser und Pfeffer wieder auf drei Eßlöffel Flüssigkeit einkochen. Mit Zitronensaft würzen. Die Kartoffeln abziehen, kleinschneiden, in den warmen Sud geben und ziehen lassen. Radieschen in Scheiben schneiden und untermischen. Kartoffelsalat mit dem Ei auf einem Kressebett anrichten und mit Pfeffer und Schnittlauchröllchen bestreuen.

Eine Portion
ca. 200 Kalorien

1 kl. Zucchino (125 g),
3 EL Gemüsebrühe
(Instant), 3 EL Zitronensaft, 1 TL Öl, Salz,
schwarzer Pfeffer,
etwa 5 geh. EL
gekochte Linsen
(40 g Rohgewicht),
Kräuter: Petersilie,
Schnittlauch, Kresse
(Kapuzinerkresseblätter oder auch
-blüten)

Eine Portion
ca. 200 Kalorien

2 kl. Tomaten (100 g),
50 g Thunfisch
(ohne Öl),
Basilikumblätter,
schwarzer Pfeffer,
Zitronenschale,
Salz, 1/2 TL Öl,
1-2 EL Zitronensaft,
1 großes Roggenbrötchen (60 g)

Eine Portion
ca 200 Kalorien

1/2 mittelgroßer
Fenchel (100 g),
1 kleine Möhre (50 g),
1 Lauchzwiebel,
1 mittelgroßer
Apfel (100 g),
Kräuter (Thymian,
glatte Petersilie),
1 TL Kürbiskerne,
2-3 EL Gemüsebrühe
(Instant), 1/2 TL Öl,
2 EL Zitronensaft,
schwarzer Pfeffer,
1/4 Scheibe
Vollkornbrot

Eine Portion
ca. 200 Kalorien

1 Ei, 3 EL Gemüsebrühe (Instant),
schwarzer Pfeffer,
Zitronensaft,
2 mittelgr. gekochte
Kartoffeln (150 g),
1/2 Bund Radieschen,
Kresse, Schnittlauch

Eine Portion
ca. 200 Kalorien

**Kräuter (Schnitt-
lauch, Dill, Zitronen-
melisse),
100 g Salatgurke,
½ Becher Mager-
milchjoghurt (75 g),
1 TL Öl, Salz,
Cayennepfeffer,
1 EL Zitronensaft,
1 TL Sesamsamen,
1 Scheibe Vollkorn-
brot (50 g),
1 Knoblauchzehe**

Gurkentopf
mit Knoblauchtoast

Kräuter hacken. Gurke schälen und in feine Streifen hobeln. Joghurt mit Öl, Salz, Cayennepfeffer, Zitronensaft und Kräutern verrühren, Gurken-streifen und Sesamsamen unterheben. Vollkornbrot toasten und mit einer aufgeschnittenen Knoblauchzehe kräftig einreiben. Noch warm zum Gurkentopf essen.

Melonensalat
mit Rindfleisch (Foto)

Spinat gut abtropfen lassen. Roast-beefscheiben, Melonenfleisch und Champignons kleinschneiden.
Aus Öl, Senf, Zitronensaft, Salz und Pfeffer eine Soße rühren und mit allen Zutaten vermengen.

Schnittlauch hacken und überstreu-en. Knäckebrot dazu essen.

TIP: Für diesen Salat müssen die Spi-natblätter jung und zart sein. Die Melone sollte ebenfalls reif und aro-matisch sein.

**Melonensalat
mit Rindfleisch**

*Eine Portion
ca. 200 Kalorien*

**50 g junge Spinat-
blätter, 2 Scheiben
Roastbeef (40 g),
¼ Melone (100 g,
Ogen-, Zucker- oder
Honigmelone),
50 g Champignons,
1 TL Öl, 1 TL Senf,
2 EL Zitronensaft,
Salz, schw. Pfeffer,
Schnittlauch,
1 Scheibe Vollkorn-
knäckebrot**

**Zucchini-
Linsen-Salat**

Quarkbrötchen

Brote

Jede Portion
ca. 200 Kalorien

**1 Scheibe Vollkorn-
brot (50 g),
1 TL Senf, 30 g Sauer-
milchkäse (Harzer-
oder Handkäse),
½ kleine Zwiebel,
glatte Petersilie,
1 TL Öl, schw. Pfeffer**

Handkäse mit Zwiebeln auf Vollkornbrot

Vollkornbrot mit Senf bestreichen. Sauermilchkäse klein- und Zwiebel in hauchdünne Scheiben schneiden und auf dem Brot verteilen. Mit Petersilienblättern bestreuen. Mit Öl beträufeln und mit Pfeffer würzen.

Käseknäcke mit Ei

Ei in sieben Minuten hart kochen und in Scheiben schneiden. Schmelzkäse auf beide Knäckebrotscheiben streichen. Die Eischeiben darauf verteilen und mit grobgemahlenem Pfeffer und viel Kresse bestreuen.

Jede Portion
ca. 200 Kalorien

**1 Ei, ½ Ecke Schmelz-
käse (20 %, 31 g),
2 Scheiben Voll-
kornknäckebrot,
schwarzer Pfeffer,
Kresse**

**1 Ei, 1 EL Magerquark
(40 g), knapp ½ TL Öl,
½ Scheibe Vollkorn-
brot, Streuwürze,
100 g Salatgurke,
Pfeffer, Kräuter
(Dill, Petersilie)**

Gurkenbrot mit Ei

Das Ei vier Minuten weich oder sieben Minuten hart kochen. Quark mit Öl verrühren und auf die Brothälfte streichen. Gurke in Scheiben schneiden. Das Brot damit belegen, würzen und die gehackten Kräuter darüberstreuen. Die restliche Gurke und das Ei dazu essen.

Kräuterfrischkäse auf Vollkornbrot

Kräuter hacken, mit dem Frischkäse, Öl, Pfeffer und Salz verrühren und auf das Vollkornbrot streichen.

**Kräuter (Schnitt-
lauch, Petersilie,
Basilikum),
2 EL körniger
Frischkäse (60 g),
1 TL Öl, Salz,
schwarzer Pfeffer,
1 Scheibe Vollkorn-
brot (50 g)**

**1 Scheibe Vollkorn-
brot (50 g),
1 TL Butter oder
Margarine,
2 Scheiben Lachs-
schinken ohne Fett-
rand (40 g),
1 kl. Tomate (50 g),
Schnittlauch**

Vollkornbrot mit Lachsschinken

Brot mit Butter oder Margarine bestreichen und mit Lachsschinken und Tomatenscheiben belegen. Mit Schnittlauch bestreuen.

Quarkbrötchen (Foto)

Magerquark mit Crème fraîche verrühren und auf die beiden Brötchenhälften streichen. Auf eine Hälfte Marmelade, auf die andere Hälfte Kürbiskerne, Streuwürze und Kräuter geben.

**1 EL Magerquark
(40 g),
1 TL Crème fraîche,
1 kl. Roggenbröt-
chen (40 g),
1 TL Marmelade
ohne Zuckerzusatz,
½ EL Kürbiskerne,
Streuwürze, Kräuter
(Kresse, Petersilie)**

**1 Scheibe Vollkorn-
brot (50 g), 1 TL But-
ter oder Margarine,
½ Ecke Schmelz-
käse (20 %, 31 g),
1 Bund Radieschen,
schwarzer Pfeffer,
Streuwürze**

Schmelzkäsebrot mit Radieschen

Vollkornbrot mit Butter oder Margarine und mit Schmelzkäse bestreichen. Einige Radieschen kleinschneiden, auf dem Brot verteilen und mit Pfeffer und Streuwürze bestreuen. Restliche Radieschen dazu essen.

Kasseler-Brot

Vollkornbrot mit Butter oder Margarine und Senf bestreichen und mit einer Scheibe Kasseler, gehackten Kräutern und Kapern belegen.

**1 Scheibe Vollkorn-
brot (50 g), 1 TL Butter
oder Margarine,
1 TL Senf, 1 Scheibe
Kasseler Aufschnitt
(20 g), 1 TL Kapern,
Kräuter (Petersilie,
Schnittlauch)**

Hackbrot

Jede Portion
ca. 200 Kalorien

2 TL Tomatenmark,
1 TL Crème fraîche,
50 g Beefsteakhack,
1 Scheibe Vollkorn-
brot (50 g), Schnitt-
lauch, 1 kl. Gewürz-
gurke, Streuwürze,
schwarzer Pfeffer

Tomatenmark und Crème fraîche und
Beefsteakhack auf das Vollkornbrot
streichen. Schnittlauch und Ge-
würzgurke hacken, auf dem
Hackbrot verteilen und mit
Streuwürze und Pfeffer würzen.

Lachsbrot

2 TL Crème fraîche,
1 TL Senf, 1 Scheibe
Vollkornbrot (50 g),
1 kleine Scheibe
Lachs (30 g), Dill

Senf und Crème fraîche auf
das Vollkornbrot streichen.
Den Lachs mit einem Dill-
zweig daraufgeben.

Schinkenbrot

1 Scheibe Vollkorn-
brot (50 g), 1 TL But-
ter oder Margarine,
1 TL Tomatenmark,
1 Scheibe magerer
gekochter
Schinken (20 g),
100 g Salatgurke,
Sellerieblätter,
schwarzer Pfeffer

Vollkornbrot mit Butter oder Margarine und Tomatenmark bestreichen.
Schinken, Gurkenscheiben und Sellerieblätter auf das Brot legen. Mit Pfeffer würzen.

Corned-Beef-Brot

Vollkornbrot erst mit Butter oder
Margarine, dann mit Senf bestreichen.
Mit Corned Beef, Petersilienblättern
und Mandarinenspalten belegen.
Schnittlauchröllchen überstreuen.

Jede Portion
ca. 200 Kalorien

1 Scheibe Vollkorn-
brot (50 g), 1 TL But-
ter oder Margarine,
1 TL Senf, 1 Scheibe
deutsches Corned
Beef (20 g),
glatte Petersilie,
1 Mandarine (50 g),
Schnittlauch

Geflügelleber-Brot
mit Tomate (Foto)

Tomate in Scheiben schneiden und
mit Kresseblättern auf das Vollkornbrot legen. Gebratene Leber in hauchdünne Scheiben schneiden, auf dem
Brot verteilen, mit Öl und Sojasoße
beträufeln und mit Pfeffer würzen.

1 kl. Tomate (50 g),
Kresse, 1 Scheibe
Vollkornbrot (50 g),
50 g gebratene
Geflügelleber,
1/2 TL Öl, Sojasoße,
schwarzer Pfeffer

Geflügelleber-Brot
mit Tomate

Käseknäcke mit Tomate (Foto)

Knäckebrote mit Crème fraîche bestreichen und mit je einer halben Scheibe Käse belegen. Eine Tomate in Scheiben schneiden, auf den Käse legen und mit Kräutern bestreuen. Die zweite Tomate dazu essen.

Jede Portion
ca. 200 Kalorien

**2 Scheiben Vollkornknäckebrot,
3 TL Crème fraîche,
1 Scheibe Käse
(45 %, 20 g),
2 kl. Tomaten (100 g),
Kräuter (Basilikum,
Schnittlauch)**

Waldorf-Brot

Knollensellerie raspeln und mit Zitronensaft, Salz, Cayennepfeffer und Salatcreme mischen. Selleriesalat auf das Vollkornbrot häufen. Mandarine in Spalten teilen und mit den Kürbiskernen und Petersilienblättern auf dem Brot verteilen.

**1 kl. Stück Knollensellerie (50 g),
Zitronensaft, Salz,
Cayennepfeffer,
3 TL Salatcreme,
1 Scheibe Vollkornbrot (50 g),
1 kl. Mandarine (50 g),
1 TL Kürbiskerne,
glatte Petersilie**

Krabbenbrot

Senf und Crème fraîche auf das Vollkornbrot streichen. Tomate würfeln, Schnittlauch und Dill hacken und mit dem Krabbenfleisch auf das Brot geben.

**1 TL Senf,
2 TL Crème fraîche,
1 Scheibe Vollkornbrot (50 g), 1 kleine
Tomate (50 g),
Schnittlauch, Dill,
50 g Krabbenfleisch**

Käseknäcke
mit Tomate

Quarkkuchen

Süßes

Acht Portionen;
pro Portion
ca. 70 Kalorien

Zutaten für eine
Springform mit
20 cm Durchmesser:
500 g Magerquark
(10 % Fett), 2 Eier,
Gewichtsklasse M,
2 EL Grieß (20 g),
½ Paket Vanille-
Puddingpulver (20 g),
Saft und Schale einer
½ Zitrone, flüssiger
Süßstoff für
100 g Zucker

Quarkkuchen (Foto)

Boden und Rand einer Springform mit Back-Trennpapier auslegen. Ofen auf 180 Grad vorheizen (Gas: Stufe 2). Zutaten mit einem Schneebesen oder Handrührer verrühren, in die Form geben und 55 Minuten auf der untersten Schiene des Ofens backen. Da der Kuchen nicht bräunt, die Oberfläche weitere fünf Minuten übergrillen (oder auf der oberen Schiene weiterbacken).
Quarkkuchen aus der Form nehmen, Papier entfernen und auf einem Kuchengitter abkühlen lassen.

TIP: Der Kuchen schmeckt lauwarm am besten, entweder pur oder als Dessert mit einer Soße aus ungezuckerten pürierten Früchten, z. B. Himbeer-, Erdbeer- oder Heidelbeersoße.
Pro Eßlöffel Fruchtsoße ohne Zucker rechnen Sie dann etwa 7 Kalorien dazu. Die Stücke können gut portionsweise geschnitten und tiefgekühlt werden. Zum Auftauen eignet sich die Mikrowelle.
Sie können den Kuchen auch vor dem Backen mit Apfel- oder Birnenachteln belegen. Es genügt dann die Süßstoffmenge für 75 Gramm Zucker. Auf einen Kuchen passen zwei mittelgroße Äpfel (106 Kal.) oder zwei mittelgroße Birnen (158 Kal.).

1-2 Portionen, insges.
ca. 200 Kalorien

⅛ l Milch
(3,5 % Fett),
½ Paket Vanille-
Puddingpulver
(20 g), 2 TL Kakao-
pulver, Süßstoff

Schokoladenpudding

Milch aufkochen, ⅛ Liter kaltes Wasser mit Pudding- und Kakaopulver verquirlen, in die kochende Milch rühren, noch einmal aufkochen und abkühlen lassen. Den abgekühlten Pudding mit Süßstoff abschmecken.

TIP: Dazu paßt etwas geschlagene Sahne und ein Teelöffel Mandelblättchen. Die bringen 15 Kalorien pro Teelöffel Schlagsahne und 12 Kalorien für die Mandelblättchen zusätzlich.

Gedämpfter Ingwerapfel

Orangensaft mit einer sehr kleinen Prise Salz, einer halben Tasse Wasser und wenig geriebenem Ingwer vermischen.
Den Apfel schälen und vom Blütenansatz so entkernen, daß der Stengel noch an der Frucht bleibt. Den Apfel in einen kleinen Topf geben, mit dem Saft übergießen und fest verschlossen bei mittlerer Wärmezufuhr etwa 10 Minuten dämpfen. Aus dem Topf nehmen und auf einen Teller geben. Den Sud nach Wunsch etwas einkochen, mit Süßstoff nachwürzen und über den Apfel gießen. Pistazien darüberstreuen. Der Apfel kann warm oder kalt gegessen werden.

TIP: Das Salz verhindert, daß der Apfel braun wird. Auch sollte der Apfel nicht zu mürbe sein, weil er sonst zerfällt.

Mokka-Schaum

Gelatine in kaltem Wasser einweichen. Instant-Kaffeepulver und das Kakaopulver mit einer halben Tasse kochendem Wasser übergießen. Gelatine darin auflösen und in den Kühlschrank stellen. Wenn der Kaffee zu gelieren beginnt, das Eiweiß mit dem Süßstoff steifschlagen und mit einem Schneebesen unterheben. Schaum in Schälchen füllen und mit wenig Kakaopulver bepudern.

Eine Portion
ca. 130 Kalorien

Saft einer halben
Orange,
1 Prise Salz,
1 Messerspitze
getrockneter oder
eine TL-Spitze frisch
geriebener Ingwer,
1 mittelgroßer fester
Apfel (100 g),
Süßstoff,
1 TL gehackte Pistazien

1-2 Portionen, insges.
ca. 20 Kalorien

1 Blatt Gelatine,
1 gehäufter Teelöffel
Instant-Kaffee,
½ TL Kakaopulver,
1 Eiweiß, Süßstoff für
1 ½ bis 2 EL Zucker

TIP: Der Mokka-Schaum wird etwas feiner, wenn ein bis zwei Teelöffel Schlagsahne untergehoben werden. Pro Teelöffel müssen Sie dann 15 Kalorien mehr berechnen.

Heiße Orangenbanane (Foto)

Eine Portion
ca. 125 Kalorien

1 kl. Banane (100 g),
Saft einer
halben Orange,
3 EL Tee,
Süßstoff

Die geschälte Banane mit dem Orangensaft langsam unter häufigem Wenden solange in einer Pfanne erwärmen, bis der Saft auf einen Eßlöffel Flüssigkeit reduziert ist.
Die Banane auf einen vorgewärmten Teller geben und in Scheiben schneiden. Den Sud in der Pfanne mit dem Tee lösen, erneut etwas einkochen, nach Geschmack mit Süßstoff abschmecken. Die Soße über die Banane geben. Heiß essen.

TIP: Besonders raffiniert schmeckt die Soße, wenn sie mit Jasmintee zubereitet wird. Probieren Sie dieses Rezept auch mal mit anderen Früchten, zum Beispiel mit Pfirsich oder Birne, je nach Jahreszeit. Hauptsache, die Früchte sind saftig reif.

Bananenquark mit Piment

Eine Portion
ca. 175 Kalorien

1 kl. Banane (100 g),
2 EL Zitronensaft,
1 Messerspitze
Piment,
2 EL Magerquark,
Süßstoff,
1 EL Sahne,
Zitronenmelisse

Die Banane in der Schale drücken, so daß sie ganz weich wird. Schale abziehen, das Fruchtfleisch mit den restlichen Zutaten mit einer Gabel vermengen. Nach Geschmack mit Zitronenmelisseblättern garnieren.

TIP: Noch lockerer wird der Bananenquark natürlich mit geschlagener Sahne. Die benötigte winzige Menge entnehmen Sie am besten einer Sahne-Sprühdose. Ein Teelöffel Sprühsahne (ohne Zucker) hat etwa 15 Kalorien.

Heiße Orangenbanane

Himbeerkaltschale

Eine Portion
ca. 100 Kalorien

125 g Himbeeren,
125 g Kefir (1,5 %),
1 TL Zitronensaft,
geriebene Zitronen-
schale, Süßstoff,
1-2 Minzblätter

Einige Himbeeren beiseite legen. Die restlichen Himbeeren, den Kefir, Zitronensaft und Zitronenschale im Mixer pürieren. Mit Süßstoff süßen und den Himbeer-Mix in einen Suppenteller geben. Die unpürierten Beeren hinzufügen und das Ganze mit Minzblättern bestreuen.

TIP: Die Kaltschale kann auch mit Erdbeeren zubereitet werden. An warmen Tagen die Zutaten vor der Zubereitung im Kühlschrank durchkühlen.

Schokoladenmus (Foto)

Eine Portion
ca. 150 Kalorien

18-20 g bittere
Schokolade (3 Stück),
1 EL Milch,
1 TL-Spitze geriebe-
ne Orangenschale,
Süßstoff für 1-2 TL
Zucker, 1 Eiweiß

Schokolade in Milch im Wasserbad erwärmen und auflösen. Orangenschale und Süßstoff zufügen. Eiweiß steifschlagen, Orangenschokolade mit einem Schneebesen unterrühren. Schokoladenmus für mindestens eine Stunde in den Kühlschrank stellen.

TIP: Besonders appetitlich sieht das Mus aus, wenn Sie es mit Minzblättern und einer Orangenscheibe dekorieren.

Crêpe mit Erdbeerquarkfüllung

Ei, Haferkleie mit Keim, Weizenmehl, drei Eßlöffel Mineralwasser, Salz und einem Spritzer Süßstoff verrühren. Zehn Minuten ruhen lassen.
Magerquark mit einem Eßlöffel Mineralwasser, der geriebenen Zitronenschale und den gewürfelten Erdbeeren mischen.
Eine große Pfanne erhitzen, dünn mit Öl auspinseln. Den Crêpe-Teig einfüllen, stocken lassen, wenden und backen, bis beide Seiten leicht gebräunt sind.
Crêpe mit Erdbeerquark bestreichen, zusammenfalten oder aufrollen. Mit Streusüße oder ein wenig Zucker bepudern.

Eine Portion
ca. 200 Kalorien

1 Ei,
1 EL Haferkleie
mit Keim,
1 TL Weizenmehl,
4 EL Mineralwasser,
1 Prise Salz,
Süßstoff,
1 EL Magerquark,
ger. Zitronenschale,
50 g reife Erdbeeren
(fein gewürfelt),
½ TL Öl, Streusüße

Melonen-Joghurt-Mix

Melone entkernen, Fruchtfleisch herauslösen und mit den restlichen Zutaten im Mixer verquirlen.

TIP: An heißen Tagen etwas zerstoßenes Eis und einen Schuß Mineralwasser zufügen.
Noch erfrischender wird der Mix mit einem Minzblatt.

Eine Portion
ca. 100 Kalorien

¼ Honigmelone
(100 g Frucht-
fleisch), ½ Becher
Magermilchjoghurt
(75 g), geriebene
Zitronenschale,
2 EL Zitronensaft,
Süßstoff

Frische Honigmelone

Die Honigmelone entkernen. Das Fruchtfleisch mit einer Gabel einstechen, mit Zitronensaft beträufeln und mit Zitronenmelisse dekorieren.

TIP: Eine mittelgroße Honigmelone wiegt etwa 780 Gramm, inklusive Schale und Kernen. Das sind etwa 400 Gramm Fruchtfleisch. Die angeschnittene Melone immer gut mit Küchenfolie abdecken und im Kühlschrank aufbewahren.

Eine Portion
ca. 100 Kalorien

½ Honigmelone
1 EL Zitronensaft,
Zitronenmelisse

Schokoladenmus

Makronen aus
Vier-Korn-Flocken
und Kürbiskernen

Makronen aus Vier-Korn-Flocken und Kürbiskernen

**18 Stück,
je ca. 20 Kalorien**

**4 EL Vier-Korn-Flocken (40 g),
3 EL Kürbiskerne (24 g), 1 EL Haferkleie mit Keim,
1 TL Fenchel oder Anis,
1 TL geriebene Orangenschale,
1 EL Zitronensaft,
1 Eiweiß, 1 Päckchen Vanillezucker,
Süßstoff**

Den Backofen auf 70 Grad vorheizen (Gas: niedrigste Stufe, die Tür geöffnet lassen).

Eine Eisenpfanne erhitzen. Vier-Korn-Flocken und Kürbiskerne unter ständigem Rühren und Schütteln rösten. In eine Schüssel geben, Haferkleie hinzufügen. Fenchel oder Anis, Orangenschale, Zitronensaft und zwei Eßlöffel Wasser unterrühren und kurze Zeit ziehen lassen.

Eiweiß steifschlagen, Vanillezucker und etwas Süßstoff zufügen. Unter die Flockenmischung heben. Mit einem Teelöffel etwa 18 kleine Häufchen formen und auf ein Stück Backtrennpapier geben. Im Ofen 60 Minuten trocknen lassen.

TIP: Orangenschale kann auch durch unbehandelte geriebene Zitronenschale ersetzt werden. Probieren Sie die Makronen auch mit Zimt, Ingwer oder Vanille aus.

Frische Ananas

**Eine Portion
ca. 50 Kalorien**

**1 Scheibe Ananas
(100 g)**

Von einer reifen frischen Ananas eine etwa fingerdicke Scheibe abschneiden, die Schale und den holzigen Kern entfernen.

TIP: Die Schnittflächen gut mit Küchenfolie abdecken und jede Scheibe einzeln schälen.

Das Fruchtfleisch schmeckt auch gut in einem Müsli: Nehmen Sie zum Beispiel statt einem Apfel, einer Birne oder einer halben Banane eine Scheibe Ananas.

Himbeer-Joghurt-Speise

**1-2 Portionen, insges.
ca. 100 Kalorien**

**1 Becher Magermilchjoghurt (150 g),
1 TL abgeriebene Zitronenschale,
Mark einer halben Vanilleschote,
Süßstoff,
125 g TK-Himbeeren**

Magermilchjoghurt mit Zitronenschale, Vanillemark und Süßstoff in den Mixer geben. Das Mixgerät einschalten und die tiefgekühlten Himbeeren einstreuen. Einige zur Dekoration zurückbehalten.

Zwischendurch das Gerät ausschalten und einmal mit einem Löffel umrühren.

Erdbeerschaum

**Eine Portion
ca. 70 Kalorien**

**1 Blatt Gelatine
(rot), ½ Paket TK-
Erdbeeren (oder
125 g frische Früchte),
1 EL Zitronensaft,
etwas Zitronenschale,
Süßstoff, 1 Eiweiß**

TIP: Wichtig: Die harten, tiefgekühlten Früchte nur nach und nach in den eingeschalteten Mixer geben. Das Gerät würde sonst gleich blockiert. Es geht leichter, wenn die Früchte vorher zehn Minuten angetaut wurden. Vanillemark schabt man mit der Messerspitze aus der längs aufgeschnittenen Vanilleschote.

Erdbeerschaum *(Foto)*

Gelatine in kaltem Wasser einweichen, ausdrücken und im Wasserbad auflösen. Aufgetaute Erdbeeren fein pürieren, eventuell durch ein Sieb streichen. Restliche Zutaten zufügen und mit dem Handrührer schlagen, bis die Masse hellrosa und schaumig wird. Flüssige Gelatine unter ständigem Rühren zufügen und den Schaum sofort in Portionsschälchen füllen.

TIP: Nach Geschmack mit unverarbeiteten Früchten anrichten. Wer seine Süßspeise mit Schlagsahne anreichern oder garnieren möchte, muß pro Teelöffel (5 Gramm) etwa 15 Kalorien dazurechnen. Da man so kleine Portionen schlecht zubereiten bzw. schlagen kann, empfehlen wir Schlagsahne aus der Dose, die vor dem Gebrauch geschüttelt wird. Die Sahne ist im Kühlschrank lange haltbar.

**1-2 Portionen, insges.
ca. 200 Kalorien**

**3 Blätter Gelatine
(weiß oder rot),
1 ½ Tassen Butter-
milch, Süßstoff,
geriebene Zitronen-
oder Orangenschale,
150 g reife Erdbee-
ren, 1 TL gehobelte
Mandeln**

Buttermilchspeise mit Erdbeeren

Gelatine in kaltem Wasser einweichen, abtropfen lassen, im Wasserbad
auflösen und mit der Buttermilch verrühren. Süßstoff nach Geschmack
und Zitronen- oder Orangenschale
zufügen.
Erdbeeren kleinschneiden, in eine
Form geben. Buttermilchmischung
zugießen und zwei bis drei Stunden im
Kühlschrank erstarren lassen.
Aus dem Kühlschrank nehmen, Form
in heißes Wasser tauchen, auf einen
Teller stürzen und mit Mandelblättchen bestreuen.

**Eine Portion
ca. 165 Kalorien**

**1 mittelgroße Birne
(175 g), ⅛ l Apfelsaft
(ungesüßt),
½ Tasse Holunder-
beersaft (ungesüßt),
1 Stück Zitronen-
schale, Süßstoff
nach Geschmack**

Holunderbirne (Foto)

Die Birne so abschälen, daß immer ein
Streifen Schale bleibt. Das Kern-
gehäuse mit einem spitzen Messer von
der Blüte aus entfernen und die Birne
mit den anderen Zutaten in einem

kleinen Topf langsam aufkochen und
garen. Die Frucht zwischendurch
wenden und im Sud erkalten lassen.
Dann die Birne herausheben, den Sud
vor dem Servieren im offenen Topf
einkochen, erst dann abschmecken
und warm über die Birne geben.

TIP: Statt einer Birne können Sie auch
einen Apfel in Holundersud kochen.
Achten Sie darauf, daß Sie keine
mürbe Sorte verwenden: Der Apfel
zerfällt dann sehr leicht.

Gefüllte Aprikosenhälften

Aprikosen halbieren und entkernen.
Körnigen Frischkäse mit Zimt, geriebener Zitronenschale und Süßstoff
verrühren. Die Aprikosenhälften mit
dem Frischkäse bestreichen und mit
Mandelblättchen bestreuen.

TIP: Die gefüllten Aprikosen schmek-
ken am besten mit vollreifen Früchten.

**Eine Portion
ca. 100 Kalorien**

**3 kleine Aprikosen,
2 EL körniger Frisch-
käse, Zimt, geriebe-
ne Zitronenschale,
1 TL gehobelte Man-
deln, Süßstoff**

Holunderbirne

*Rote Grütze
aus Tiefkühlfrüchten*

Dekorativ: jede Frucht-Hälfte mit einem kleinen Melisseblättchen garnieren. Dieses Dessert läßt sich auch gut mit großen Pflaumen zubereiten.

Gewürztes Pflaumenkompott

Eine Portion
ca. 100 Kalorien

1 Stück Stangenzimt,
1 kl. Stück Ingwer,
1 kleines Stück
Zitronenschale,
Süßstoff,
200 g Pflaumen
oder Zwetschgen,
1-2 EL Zitronensaft

Zimt, Ingwer, Zitronenschale und Süßstoff in einer Tasse Wasser auf- und bis auf etwa drei Eßlöffel Flüssigkeit einkochen.
Inzwischen die Pflaumen oder Zwetschgen entkernen. Den Sud durch ein Sieb gießen, Zitronensaft zufügen und darin die Pflaumenhälften auf niedriger Wärmestufe weichdünsten. Pflaumenkompott lauwarm oder kalt essen.

TIP: In dem Gewürzsud können Sie auch andere Früchte dünsten, z. B. 150 Gramm Kirschen, die Spalten von zwei Pfirsichen, zwei kleine Äpfel oder zwei Birnen (in Spalten geschnitten). Jede Portion hat dann ebenfalls 100 Kalorien.
Das Kompott zusammen mit dem Schweizer Reis (s. S. 156) ergibt eine süße warme Mahlzeit.

Rote Grütze aus Tiefkühlfrüchten (Foto)

2-4 Portionen,
insgesamt
ca. 200 Kalorien

1 Paket TK-Beeren-
cocktail (300 g),
1 Bl. weiße Gelatine,
⅛ l Apfelsaft
ohne Zucker,
Süßstoff für
4-5 EL Zucker

Beerencocktail auftauen lassen und den Saft auffangen. Gelatine einweichen, im Wasserbad auflösen und erst mit dem Apfel- und dem aufgefangenen Beerensaft und Süßstoff mischen. Dann mit dem aufgetauten Beerencocktail vermengen. Rote Grütze im Kühlschrank gelieren lassen.

TIP: Die Grütze kann auch gut aus anderen Früchten, zum Beispiel Himbeeren, hergestellt werden.

Milchschaumspeise

Milch mit Gewürzen und Zitronenschale bei kleinster Wärmezufuhr ganz langsam erhitzen und zehn Minuten ziehen lassen. Gelatineblätter in kaltem Wasser einweichen, abtropfen lassen und ausdrücken. Gewürzte Milch durch ein Sieb gießen. Zitronenschale herausfischen, hacken und mit den Pistazien und den eingeweichten Gelatineblättern in die noch warme Milch zurückgeben. Im Kühlschrank leicht angelieren lassen und mit Süßstoff abschmecken. Eiweiß mit Salz sehr steif schlagen, Zitronensaft und die Sahne dazurühren. Mit einem Schneebesen unter die gelierende Milch heben. Masse in zwei Tassen oder Souffléförmchen verteilen und fest werden lassen. Zum Servieren die Formen in heißes Wasser tauchen, auf Teller stürzen und mit frischem Orangensaft übergießen.

TIP: Dieses Dessert läßt sich gut für Gäste zubereiten. Dekorieren Sie die Milchschaumspeise dann noch mit einigen Beerenfrüchten, Orangenspalten oder Melisseblättern.

Zwei Portionen,
insgesamt
ca. 260 Kalorien

½ l Milch (3,5 %
Fett), 1 Stückchen
Vanilleschote,
1 Stückchen Zimt,
1 Nelke, 1 TL-Spitze
Koriandersamen,
1 daumengroßes
Stück Zitronenschale,
2 Bl. weiße Gelatine,
2 TL gehackte Pista-
zien, Süßstoff,
1 Eiweiß, 1 Prise Salz,
3 EL Zitronensaft,
1 EL geschlagene
Sahne, Saft einer
frischen Orange

Haferpfannkuchen mit Heidelbeeren

Das Ei trennen. Eigelb mit Magermilchjoghurt, Haferkleie, Salz und wenig Süßstoff verrühren. Zehn Minuten quellen lassen.
Das Eiweiß nicht ganz steifschlagen und mit einem Schneebesen unter den Teig rühren.
Eine Pfanne erhitzen, mit Öl auspinseln. Den Teig einfüllen und die Heidelbeeren daraufgeben. Mit einem Deckel verschlossen auf mittlerer Wärmestufe stocken lassen. Den Pfannkuchen mit einem Spatel vorsichtig lösen, auf einen flachen Deckel

Eine Portion
ca. 250 Kalorien

1 Ei, 2 EL Mager-
milchjoghurt,
2 EL Haferkleie mit
Keim, 1 Prise Salz,
Süßstoff, 1 TL Öl,
50 g Heidelbeeren,
Streusüße

gleiten lassen. Die Pfanne erneut mit Fett einpinseln und den Pfannkuchen gewendet zu Ende backen. Mit Streusüße bepudern.

TIP: Der Pfannkuchen hat ohne die Heidelbeeren etwa 200 Kalorien.

Fruchtgelee (Foto)

Zwei Portionen, insgesamt ca. 150 Kalorien

3 Blatt weiße Gelatine, ¼ l Fruchtsaft ohne Zucker (z. B. Johannisbeer-, Apfel-, Orangen-, Kirschsaft), Süßstoff nach Geschmack, etwas Zitronen- oder Limettensaft

Gelatine einweichen und mit zwei Eßlöffel Fruchtsaft im Wasserbad auflösen. Restlichen Fruchtsaft mit Süßstoff und Zitronen- oder Limettensaft abschmecken, Gelatine dazurühren. In Formen oder Schälchen gießen und im Kühlschrank erstarren lassen. Zum Stürzen kurz in warmes Wasser tauchen.

TIP: Nach Geschmack können Minz- oder Melisseblätter mit in die Formen gegeben werden, das sieht schön aus und verfeinert den Geschmack.
Wer will, krönt das Gelee mit einem Teelöffel geschlagener Sahne, siehe beim Rezept für Erdbeerschaum auf Seite 152.

Fruchtsäfte ohne Zuckerzusatz kann man sich selbst im Entsafter herstellen oder in Bio-Läden oder Reformhäusern kaufen. Auf dem Etikett steht die Bezeichnung „reiner, ungezuckerter Fruchtsaft". Durchschnittlich haben 125 Gramm (⅛ l) 45 bis 60 Kalorien. Ein Blatt Gelatine hat sechs Kalorien.

Exotischer Obstsalat

Eine Portion ca. 100 Kalorien

¼ Honigmelone (100 g Fruchtfleisch), ½ Scheibe Ananas (50 g), ½ Kiwi (50 g), 1 EL Zitronensaft, frischer Ingwer (nach Geschmack)

Früchte kleinschneiden, mit Zitronensaft und Ingwer mischen. Gut zugedeckt einige Minuten durchziehen lassen.

Schweizer Reis mit Kirschen

Eine Portion ca. 300 Kalorien

25 g Milchreis, 1 knappe Tasse Milch (3,5 %), ger. Zitronenschale, 1 Stück Vanilleschote (aufgeschnitten), 2 TL gehobelte Mandeln, 1 Prise Salz, 2 EL geschlagene Sahne, Süßstoff, 125 g frische Kirschen

Milchreis, Milch, Zitronenschale, Gewürze und Mandeln im geschlossenen Topf langsam zum Kochen bringen. Auf niedrigster Wärmestufe 30 bis 40 Minuten quellen lassen.
Aus der Vanilleschote die Samen herauskratzen und die Schote entfernen. Geschlagene Sahne unter den Reis rühren, mit Süßstoff abschmecken und mit den Kirschen auf einen Teller geben.

TIP: Diese Süßspeise können Sie warm als Hauptmahlzeit essen. Dann sollten Sie die Früchte zusammen mit dem Reis etwas erwärmen.

Als Zwischenmahlzeit schmeckt die Reisspeise auch kalt – sie reicht dann für drei Portionen. Statt Kirschen können auch andere Früchte verwendet werden.

Naschwerk süß und salzig

Je Portion ca. 100 Kalorien

25 g Bonbons
15 Gummibärchen (30 g)
2 Lakritzschnecken (35 g)
1 ½ Negerküsse
30 Salzstangen
4 Stückchen Schokolade (15 g)
20 g Vollkornkekse
3 TL geröstete Erdnüsse (15 g)
10 Mandeln
30-40 Pistazienkerne (15 g)
50 g Eiscreme
75 g Fruchteis
12 Streifen Kaugummi
10 Eiswaffeln (35 g)

Fruchtgelee

STICHWORT-REGISTER

Abführmittel 17
Abnehmen .... 13 ff., 17, 19, 23
Aspartame 10, 23
Aufbewahren von Lebensmitteln 9
Austauschen von Gerichten 8
Ballaststoffe 17
Berufstätige 8
Blutzuckerspiegel 22, 24
Body Mass Index (BMI) 14
BRIGITTE-Müsli 7
Cellulite 15, 19
Cholesterin 10, 17
Cholesterinspiegel 16, 19
Crash-Kuren 15
Cyclamate 10
Dauerlaufen, sanftes .... 19 ff.
Diät-Einstieg 14
Diätfrust 12
Diättag, Zusammensetzung 7
Distelöl 9, 16
Eier (Gewichtsklasse) 9
Einkaufslisten 7, 48, 68, 92
Einladungen 10
Eisenmangel 11
Eiweiß 7, 17
Eß-Brech-Sucht 11
Eßgewohnheiten 24
FdH-Diät 16
Fett, in der Nahrung .... 7, 9 f.,
Fett, bei der Zubereitung 9, 16
Fette, versteckte Fettzellen, bei Frauen
und Männern .... 13 ff.
Fettpölsterchen .... 13 f.
Fettsäuren .... 16 f.
Fettzellen 7, 13
Flüssigkeiten (Menge) 25
Fruchtbarkeitsstörungen bei Diät 11
Fruchtzucker 23
Futterverwerter, gute und schlechte 13
Gemüse (Menge) 9
Getränke 8, 23
Getreide (Menge) 9
Gewichtskontrolle 10
Gewichtsverlust, durchschnittlich 15
Gewichtsverluste, schnelle 14
Heißhunger auf Süßes .... 14 f., 22
Honig 23
Hunger 10
Idealgewicht 13
Jugendliche 8
Kalorien, leere 23
Kalorienbedarf 13
Kartoffeln .... 9, 16 f., 22
Keimöl 16
Kinder 8
Kochen und Braten 8
Kohlenhydrate .... 7, 16 f., 19, 22, 24
Kokosfett 9
Kopfschmerzen, während der Diät 17
Körperfett 12
Körpermasse, „magere" 13, 19
Kosten der Diät 7
Kräuter 9

Kreislauf 15, 19
Kürbiskernöl 9
Kurzdiäten 15
Leinöl 16
Light-Getränke 8
Light-Produkte 23
Magersucht und Diät 10
Männer und Diät 15
Mengenangaben 9
Milchprodukte 9
Mineralwasser 8, 10, 17, 25
Muskeln 19
Müsli .... 7 f., 17, 24
Nährstoffdichte 16, 24
Nährstoffe 8, 16, 23
Normalgewicht .... 13 f.
Nudeln (Menge) 9
Obst (Menge) 9
Olivenöl 9, 16
Öl .... 8 f., 16
Osteoporose 23
Palmöl 9
Pfannen 8
Quellgewicht 8
Reis (Menge) 9
Rohgewicht 9
Rückfälle 15
Saccharin 10
Saccharin-Cyclamat-
Mischungen 10
Schwangerschaft 10
Sesamöl 9
Sojaöl 9, 16
Sonnenblumenöl 9, 16
Sorbit 23
Sport .... 14 f., 19 ff., 24
Stillstand 15
Stillzeit 10
Stoffwechsel .... 12 f., 15, 17, 19, 24
Streß 12, 14, 19, 22
Süßstoff 10, 23
Süßstoffe, empfohlene Höchstmengen 10
Tiefkühlkost 9
Tofu 8
Töpfe 8
Traumfigur .... 11 f., 14
Trockenobst 23
Übergewicht .... 13 f., 25
Untergewicht 11, 14
Vegetarisch 8
Veranlagung 14
Verdauung 8, 17
Vitaminmangel 10
Vitamintabletten 10
Vorratslisten 7, 48, 68, 92
Walnußöl 16
Wunderpille 12
Würzen 9
Xylit 23
Zucker .... 38, 10, 15, 19, 22 f.
Zutatenliste 7
Zutaten zur Diät 7

REZEPTVERZEICHNIS

200-KALORIEN-REZEPTE (FRÜHSTÜCK)

Apfelmüsli mit Dickmilch 32
Apfelmüsli mit Mandarinen 54
Bananen-Müsli 56, 61
Bananen-Pflaumen-Müsli 79
Brot mit Ei und Apfelsalat 28
Frischkäse mit Tomate 75
Früchtemüsli 30, 66
Grapefruitmüsli 42, 63
Heidelbeermüsli 52, 86
Himbeer-Birnen-Müsli 39
Ingwermüsli 44
Käsebrote und -brötchen 31, 40, 62, 72, 90
Knäckebrote mit Marmelade und Schmelzkäse 51
Kräuterbrot mit Käse 78
Kräuterbrötchen mit Apfel 80
Kräuterquark mit Parmesan 87
Kressebrot 34, 55
Marmeladenbrot mit Kiwi 46
Melonenmüsli 83
Orangen-Apfel-Müsli 35
Pflaumenmüsli 76
Roggenbrötchen, belegt 36, 38, 50, 58, 60, 67
Quarkbrot 84
Schinkenbrot 43
Spiegelei auf Käsebrot 82
Tomatenbrot 64
Traubenjoghurt 74

200-KALORIEN-REZEPTE (IMBISS)

Basilikum-Toast 74
Basilikumbrot mit Rohkost 83
Blumenkohlsalat 64
Bohnensalat mit Gurke und Tomate 55
Bohnensalat mit Knoblauch und Kräutern 75
Brokkolisalat 44
Bunter Salat 28
Champignon-Kartoffelbrei mit Zitronensoße 46
Corned-Beef-Brot 144
Curry-Nudelsalat 115
Fenchelsalat 72
Geflügelleber-Brot mit Tomate 144
Gemüsebrühe 66
Grapefruit-Fenchel-Salat 36
Grüne-Bohnen-Salat 88
Gurken-Reissalat 54
Gurkenbrot mit Ei 143
Gurkenjoghurt 80
Gurkentopf mit Knoblauchtoast 141
Hackbrot 144
Handkäse mit Zwiebeln auf Vollkornbrot 143
Kartoffel-Lauch-Suppe 106
Kartoffel-Mandarinen-Salat 34
Kartoffelbrei auf Salat 38
Kartoffelsalat mit Ei 140
Kartoffelsalat mit Lachsschinken 43
Käsebrot mit Birne 30
Käsebrot mit Fenchelsalat 51
Käsebrot mit Radieschen 63
Käseknäcke mit Ei 143
Käseknäcke mit Salat 62

Käseknäcke mit Tomate 145
Käsesalat 79
Kasseler-Brot 143
Krabbenbrot 145
Kräuterfrischkäse auf Vollkornbrot 143
Lachsbrot 144
Linsensalat 42
Marinierte Aubergine 76
Melonen-Feigen-Salat 82
Melonensalat mit Rindfleisch 141
Nudelsalat mit Apfel und Radieschen 114
Nudelsalat mit Gewürzgurke und Tomaten 111
Nudelsalat mit Gurke 40
Quarkbrötchen 143
Quinoa-Mais-Salat 125
Radieschen-Tomaten-Salat 32
Reissalat 31
Reissalat mit Kurkuma 117
Rohkostsalat 140
Rosenkohlsalat 60
Rote-Bete-Salat 90
Salat mit Joghurt-Knoblauch-Soße 86
Salatbrötchen 78
Sauerkraut-Apfel-Salat 35
Schinkenbrot 144
Schmelzkäsebrot mit Radieschen 143
Schweinefilet mit Basilikum 61
Sojasprossen-Salat 67
Spargelsalat 52
Spinatsalat 56
Thunfisch-Tomaten-Salat 140
Tofu auf Radieschensalat 132
Tomaten-Kartoffeln 50
Tomaten-Reis-Salat 87
Topinambur-Salat 109
Vollkornbrot mit Lachsschinken 143
Vollkornbrot mit Paprika 39
Waldorf-Brot 145
Warmer Fenchel-Salat 84
Zucchini-Gurken-Salat 58
Zucchini-Linsen-Salat 140

400-KALORIEN-REZEPTE (WARME MAHLZEITEN)

Apfel, Bohnen und Kasseler 98
Asiatische Reispfanne 116
• Auberginen-Reispfanne 30
Bierschinken mit Sauerkraut 97
• Blumenkohl mit Kräutersoße 63
• Bohnengemüse mit Thymian 129
Bratkartoffeln mit Sauerkraut und Schinken 34
• Bunter Bohneneintopf 129
• Chili-Bohnentopf 54
Chiligemüsetopf mit Nudeln
und Würstchen 112
• Chinakohl-Roulade mit Buchweizen 120
Curry-Gerste mit Hackklößchen 43
• Curry-Plinsen 46
• Currybohnen mit Buchweizen 129
Curryreis mit Banane und Corned Beef 117
Curryschnitzel 51
Forelle mit Kartoffel-Fenchel-Gemüse 100
Frikadelle mit Kartoffelbrei 36
Frikadelle mit Sellerie-Orangen-Gemüse 67
• Gebratener Buchweizen mit Zwiebeln 120

Geflügelleber mit roter Bete und Nudeln 98
• Gefüllte Aubergine mit Minzsoße 75
Gefülltes Hähnchenfilet 50
• Gefüllte Hirsetomaten 118
• Gefüllte Paprikaschoten mit Hirse 62
• Gefüllte Tomaten 80
Gemüse-Fischtopf 101
• Gemüsehirse in Estragonsoße 61
Gemüsenudeln mit Parmaschinken 64
• Gemüsereis mit Minzsoße 86
• Gemüsesuppe mit Parmesankäse 74
• Gemüsetopf 32
• Geschmorter Apfelporree mit Gerstenkeimen 123
• Grünkern-Plinsen mit Salat 127
• Grünkern mit Spinat und Joghurtsoße 127
Hackfleischröllchen mit Reis 87
Hähnchen mit Reis und Salat 28
Hähnchenrisotto mit Backobst 97
• Himmel und Erde 107
• Hirse-Möhren mit Joghurtsoße 118
• Hirsefladen 76
• Indischer Reistopf mit Linsen 116
Kapernfisch auf Gemüsebett 101
Kartoffel-Krabben-Salat 106
Kartoffeleintopf mit Würstchen 103
• Kartoffelpfanne mit Rosmarin und Salat 105
• Kichererbsen-Suppe mit Rosmarin 83
Knoblauchnudeln mit Schinken 113
Krabbennudeln 66
• Kräuter-Tofuklößchen mit Nudeln 132
Kräuterkartoffeln 103
• Kümmelkartoffeln mit Spinat 104
• Lauwarmer Kartoffelsalat und Ei 105
Lengfisch auf Chinakohl 44
Lengfisch-Spieß 79
• Linseneintopf mit Gemüse und Joghurtsoße 131
• Linsengemüse mit Apfel 130
• Linsengemüse und Kartoffeln 40
Majorankartoffeln mit Apfel und Zwiebeln 103
Majorankartoffeln mit Lachsschinken 42
• Marinierter Tofu mit Sojasprossen-Gemüse
und Lauchzwiebeln 133
Matjesfilet mit Apfel-Radieschen-Salat
und Kartoffeln 100
Nudel-Fischtopf 35
• Nudeln mit Estragon-Erbsen 111
Nudeln mit Fenchel und Rindfleisch 39
Nudeln mit Hack und Tomatensoße 111
• Nudeln mit Kräuterei 114
Nudeln mit Staudensellerie und Lachs 113
Nudeln mit Thunfisch 115
Paprika-Hähnchen mit Bohnengemüse 97
Paprikafisch auf Gurken-Dill-Gemüse 101
• Pellkartoffeln in grüner Soße 104
Pellkartoffeln mit Bohnen und Schinken 31
• Pellkartoffeln mit Gemüsequark 107
• Quinoa mit Orangenzwiebeln 125
• Reisfladen mit Spinat 55
Rinderfilet mit Basilikumsoße 82
Rinderfilet mit Gemüse 38
Rindfleisch mit Kapernsoße 84
• Röstkartoffeln mit Frischkäse-Salat 52
Safran-Fischtopf 88
Salbeihähnchen mit Zitronen-Kartoffeln 72
Schweinefilet mit Rosmarin 60

Schweineschnitzel mit Spinat und roten Linsen 99
Seelachsfilet mit Kohlrabi 56
Spinatnudeln mit Parmaschinken 78
Spinatnudeln mit Rinderfilet 112
Sülze mit Bratkartoffeln 58
Tomatensuppe mit Kalbsbratwurstklößchen 98
Topinambur mit Mais, Kräuterjoghurt
und Frikadelle 109
Zitronensteak mit Brot und Maissalat 98
• Zucchinifladen mit Joghurtsoße 90

Süsse Gerichte

Apfel mit körnigem Frischkäse 66
Bananenquark mit Piment......................... 148
Buttermilchspeise mit Erdbeeren 153
Crêpe mit Erdbeerquarkfüllung 150
Erdbeerjoghurt mit Ingwer 135
Erdbeerschaum 152
Exotischer Obstsalat 156
Feigensalat 80
Frischkäse mit Ingwer 42
Fruchtgelee 156
Fruchtsalat 52
Gedämpfter Ingwerapfel 147
Gefüllte Aprikosenhälften 153
Gewürztes Pflaumenkompott 155
Haferpfannkuchen mit Heidelbeeren 155
Heidelbeerquark 86
Heiße Orangenbanane 148
Himbeer-Apfel-Salat 88
Himbeer-Joghurt-Speise 151
Himbeerkaltschale 150
Himbeerzwieback 38
Holunderbirne 153
Joghurtmüsli mit Himbeeren 38
Kaffeedickmilch 83
Kaffeemüsli 34
Makronen aus Vier-Korn-Flocken 151
Melonen-Joghurt-Mix 150
Milchschaumspeise 155
Mokka-Quark 54
Mokka-Schaum 147
Naschwerk, süß und salzig 156
Obstsalat 60, 88
Pfirsichcreme 80
Pfirsich mit Sonnenblumenkernen 79
Quarkkuchen 147
Rote Grütze 155
Sahne-Banane 137
Schokoladenmus 150
Schokoladenpudding 147
Schweizer Reis mit Kirschen 156
Sesambanane 44, 87
Trauben-Apfel-Salat 90
Zimt-Dickmilch mit Himbeeren 135
Zitronen-Buttermilch-Mix 135
Zitronenschaum-Ei............................... 136

Vegetarische Gerichte sind mit • gekennzeichnet.